KB166192

한길 김승곤 전집
10

국어의 의존명사 대명사 관형사 감탄사 연구

저자 김승곤

- 한글학회 회장 및 재단이사 역임
- 건국대학교 문과대학 국어국문학과, 대학원 졸업
- 건국대학교 인문과학대학장, 문과대학장, 총무처장, 부총장 역임
- 문화체육부 국어심의회 한글분과위원 역임
- 주요저서:『관형격조사 '의'의 통어적 의미분석』(2007),『21세기 우리말 때매김 연구』
  (2008),『21세기 국어 토씨 연구』(2009),『국어통어론』(2010),『문법적으로
  쉽게 풀어 쓴 논어』(2010),『문법적으로 쉽게 풀어 쓴 향가』(2013),『국어
  조사의 어원과 변천 연구』(2014),『21세기 국어형태론』(2015),『국어 부사
  분류』(2017),『국어 형용사 분류』(2018) 등

한길 김승곤 전집 10

국어의 의존명사 대명사 관형사 감탄사 연구

© 김승곤, 2018

1판 1쇄 발행_2018년 09월 20일
1판 2쇄 발행_2020년 05월 30일

지은이_김승곤
펴낸이_홍정표

펴낸곳_글로벌콘텐츠
     등 록_제25100-2008-24호

공급처_(주)글로벌콘텐츠출판그룹
     대표_홍정표   이사_김미미   편집디자인_김수아 이예진 권군오 이상민 홍명지
     기획·마케팅_노경민 이종훈
     주소_서울특별시 강동구 풍성로 87-6(성내동) 글로벌콘텐츠
     전화_02) 488-3280 팩스_02) 488-3281
     홈페이지_http://www.gcbook.co.kr
     이메일_edit@gcbook.co.kr

값 21,000원
ISBN 979-11-5852-204-9 93710

간행사

글쓴이는 이번에 문집을 내기로 했다. 그 까닭은 다음과 같다.

재직 시에 낸 책은 ① 한국어 조사의 통시적 연구, ② 음성학, ③ 21세기 국어형태론(이것은 재직 시에 낸 '나라말본'을 개정하여 2015년에 간행하였음), ④ 한국어의 기원 등 네 권이었으나, 정년 후에 더 연구하여 보니까 여러 가지로 미흡한 데가 많아 다음과 같은 저서를 간행하게 되었다.

1. 국어형태론
2. 국어통어론
3. 국어 조사 연구
4. 국어 조사의 어원과 변천 연구
5. 조사 '이/가'와 '은/는' 연구
6. 관형격조사 '의'의 통어적 의미 분석
7. 국어 부사 분류
8. 국어 형용사 분류
9. 국어굴곡법(국어 연결어미 연구/ 국어 의향법 연구/ 국어 때매김 연구)
10. 국어의 의존명사 대명사 관형사 감탄사 연구(국어 의존명사

연구/ 국어의 대명사, 관형사, 감탄사 연구)

11. 음성학
12. 한국어의 기원
13. 문법적으로 쉽게 풀어 쓴 향가
14. 새롭게 연구한 국어학 연구논문집
15. 문법적으로 쉽게 풀어 쓴 논어
16. 문법적으로 쉽게 풀어 쓴 대학·중용

등 도합 19권이다.

이 모든 책 중『문법적으로 쉽게 풀어 쓴 향가』,『문법적으로 쉽게 풀어 쓴 논어』,『문법적으로 쉽게 풀어 쓴 대학·중용』을 제외한 16권은 국어의 모든 분야에 걸친 연구 서적이므로 이들을 한데 묶어 놓으면 국어 연구에 편람서 구실을 할 것 같아 모두 엮어서 문집으로 한 것이다. 다만 동사는 빠졌는데 양이 너무 많고 분류도 쉽지 않기 때문이다.

미흡할지 모르겠으나, 나의 일생을 통한 국어학 연구서 묶음이니 읽어 보면 연구하는 데 도움이 될 것이다.

2018년 08월
지은이 김승곤 씀

한길 김승곤 전집

국어 의존명사 연구

국어 의 존명사 연구

김승곤 지음

머리말

　글쓴이는 우리말에 의존명사가 얼마나 되며 그것이 나타내는 뜻은 어떠한가를 알고자 하여 『우리말사전』(한글학회)에서 일일이 통계를 내어 보았다. 그 통계자료에 나타난 우리말 의존명사는 모두 294개였는데 그것을 세 가지로 분류하여 이 책을 통해 소개하고자 하였다. 제1부에서는 사전에 실린 의존명사를 자모순으로 일일이 예시하여 보이고, 제2부에서는 그 뜻을 분석하되 우리말 의존명사의 뜻을 자세히 분석하여 다루었고, 제3부에서는 외래어 의존명사를 분석·분류하여 다루었다.

　우리말 의존명사의 뜻을 분석하여 보니 그 갈래가 너무도 많고 복잡하였다. 그럼에도 선별한 의존명사를 일일이 분석하고 분류하여 읽는 이에게 편리를 주고자 하였다.

　혹 뜻에 따른 분류가 잘못된 데가 있지 않나 걱정이 되나 크게 잘못된 일은 없으리라 믿는다.

　이 책에서 사용한 주요 약어는 다음과 같다.

　囲 비슷한 말
　囲 반대말
　데 대명사

준 줄임말

지 지리학

[보형] 보조형용사

[여불] 여불규칙활용

《물》 물리학

《불》 불교

《수》 수학

《화》 화학

그리고 ㄱ, ㄴ 등은 ①, ② 다음의 나눔 기호이다.

지은이 삼가 씀

차례

제2부 우리말 의존명사의 의미에 따른 분류

제3부 외래어로서 국어의 의존명사가 된 것들

제1부

자모순에 따른 국어의 의존명사

여기서는 『우리말사전』의 차례에 따라 어떠한 의존명사가 있는가를 모두
보이기로 한다.

1. ㉠부의 의존명사

가리 삼을 벗길 때 널어 말리려고 몇 꼭지씩 한 데에 한 줌 남짓하
게 엮은 분량.

가마 갈모, 쌈지 따위를 셀 때 백 개를 단위로 일컫는 말.

가우스(도.gauss) 독일의 물리학자. 가우스가 제창한 자속의 밀도를
나타내는 시지에스(C.G.S) 단위. 1전자 단위의 자기량을 가지
는 자극에 1다인의 힘을 미치는 세기이다.

가웃 되, 말, 자의 수를 셀 때 그 단위의 약 반에 해당되는 수량. ㉖서
말 가웃. 대 자 가웃. 석 자 가웃. (참고)되사 圀 말을 단위로 하여
셀 때에 남는 한 되 가량. ㉖두 말 되사.

가웃지기 논밭의 넓이에서 마지기를 세고 남는 반 마지기의 단위.
㉖두말 가웃지기.

가지 ①사물의 성질이나 특징에 따라 따로따로 구별되는 낱낱을
단위로 일컫는 말. ㉖한 가지 문제. 여러 가지 생물. '가지'를
단위로 쓰는 명사 아래에 쓰이어 '몇몇 가지'의 뜻을 나타냄.
㉖반찬 가지나 장만하여 차린 음식상.

간통(間—) 집의 몇 칸 되는 넓이. ㉖세 간통.

갈(프.gal) 가속도의 시지에스 단위 곧 $1cm/sec^2$.

강다리 쪼갠 장작을 셀 때 '백 개비'를 일컫는 단위. ㉖한 강다리하

고 반이니 모두 백 쉰 개비가 된다.

개년(個年) 한자말 숫자 다음에 쓰이어 햇수를 나타내는 말. ㉔오
개년. 칠 개년.

갤런(영.gallon) 영국의 부피단위로 기호는 gal.
1갤런은 4.546*l*이다. 미국의 1갤런은 3.785*l*이다.

개월(個月) 한자말 숫자 다음에 쓰이어 달수를 나타내는 말. ㉔삼
개월. 일 년 육 개월.

거 것의 준말. ㉔세상일이란 다 그렇고 그런 거야.

거리[1] 오이 가지 따위의 수효를 셀 때 50개를 단위로 일컫는 말.
㉔오이 한 거리. 가지 세 거리.

거리[2] 무당의 굿이나 춤의 한 장면을 단위로 일컫는 말. ㉔춤 한
거리. 연극의 한 막 또는 한 각본.

결[7]=**목**[6] 전날에 세금 계산에 쓰이던 토지 넓이의 단위. 50,000주척
평방 곧 2,000㎡쯤. 🄑결[7]

겸[2](兼) ①두 명사 사이에 쓰이어 어우러짐을 나타내는 말. ㉔사무
실 겸 가정집. 아침 겸 점심. 부총리 겸 경제기획원장관.
②어미 '-ㄹ/-을'이나 '-기' 아래에 쓰이어 그 일들을 아울러
함을 나타내는 말. ㉔뽕도 딸 겸 임도 볼 겸. 놀 겸 전화도
하고.

것 ①관형격 조사 '의'나 관형사, 관형어 아래에 쓰이어 그 물건,
일(사실), 현상, 성질 따위를 나타내는 말. ㉔남의 것. 새 것과
헌 것. 먹을 것. 입을 것.
②관형어나 대명사 아래에 쓰이어 그 사람을 낮잡아 가리키
는 말. ㉔젊은 것들. 너 같은 것이. 그까짓 것이 무얼 안다고.
🄑거

③관형어 아래에 쓰이어 '확신'이나 '추측'을 나타낸다. ㉠그
는 꼭 돌아 올 것이다. 내일 날씨는 좋을 것이다. 㽐거

④주로 글말에서 '-ㄹ'꼴 관형어 아래에 쓰이어 명령을 나타
냄. ㉠위험! 가까이 오지 말 것. 㽐거

게 살고 있는 곳의 뜻. ㉠우리 게는 올해 풍년인데 자네 게의 농사
는 어떠한가?

경(頃)=정보(町步)² 땅의 넓이가 '정'으로 끝이 나고 끝수가 붙지
아니할 때의 단위를 일컫는 말. 3,000평이 한 정보이다. ㉠세
정보. 다섯 정보. 㽐경¹³

고(故) 주로 글말에서 서술어의 끝 '-ㄴ/-는/은' 다음에 쓰이어 '까
닭에'의 뜻. ㉠날이 저무는 고로 더욱 걸음을 빨리 하였다. 달
이 밝은 고로 다녀 올 수 있다. 이것은 독버섯인 고로 먹으면
큰일 난다. 㽐'그러므로'의 뜻. ㉠청춘은 인생의 봄이다. 고로
청춘의 꽃밭에는 이상의 꽃이 피고 우정의 샘이 솟는다.

교(校)⁴ 인쇄 교정의 번수를 나타내는 말.

교(絞)⁵=가닥² ①한 군데에 딸린 각 줄. ㉠여러 가닥으로 꼰 참바.
②①의 수를 세는 단위. ㉠한 가닥 두 가닥.

관(貫)=쾌³ ①북어 스무 마리를 한 단위로 세는 말. ㉠북어 한 쾌.
㉠단위로 쓰는 명사와 함께 쓰이어 몇몇 수의 그것을 나타낸
다. ㉠북어 쾌나 샀다. ②전날에 엽전 열 꾸러미 곧 열 냥을
한 단위로 세는 말. 㽐관¹⁴. ③이 말을 단위로 쓰는 명사 아래
에 쓰이어 약간의 쾌를 나타낸다. ㉠엽전 쾌나 가졌다.

교시(校時) 학교 수업 시간의 단위. ㉠1교시, 3교시.

구(具) 시체의 수효를 세는 단위. ㉠시체 다섯 구 인양.

국(國) 나라¹의 뜻. ㉠4개 국 정상회담.

군(君) 사람의 성이나 이름에 쓰이어 친구나 손 아랫사람을 친근하게 부를 때 쓰는 말. 예김 군, 철수 군에게 대=자네. 군은 무엇을 전공하는가? 군이 부탁한 말, 내가 알아 보았네.

권(卷) ①책 편찬의 한 부분. 예고려사 권4, 삼국지 권5. ②책을 세는 단위. 예소설책 스무 권. ③조선종이 20장을 나타내는 단위. 예한지 20권.

그램(영.gram) 미터법에 따른 무게 단위 4℃ 물 1㎤의 무게를 표준한다. 기호 g 또는 gr.

그램중(영.gram重) 《물》 표준 중력에서 1g 중량의 물체가 나타내는 중력과 같은 힘의 단위. 980.665다인(dyne)과 같다. 기호 g중 또는 gw.

그램칼로리(⊂영.gram Calorie) 칼로리를 킬로그램칼로리에 대하여 일컫는 말.

그로스(프.grosse) 열두 다스 곧 백마흔네 개.

근(斤) 600g에 해당하는 재래의 무게 단위. 375g을 기준으로 하기도 한다. ㉠이 말을 단위로 쓰는 명사 아래에 쓰이어 '약간의 근'의 뜻을 나타냄. 예고기 근이나 사야지.

기(紀) 《지》 지질시대를 나눈 단위의 하나. 대(代)를 나눈 것이다. 중생대를 삼첩기, 쥐라기, 백악기로 나눈 것 따위.

기[11](基) ①무덤, 비석, 탑 따위를 세는 단위. ②원자로, 유도탄 따위를 세는 단위.

기[12](騎) 말을 탄 사람의 수를 세는 단위.

길 ①길이 단위의 한 가지. 여덟 자 또는 열 자. 비심[4] ②사람의 키와 한 길이.

김 어떤 기회나 바람. 예만나는 김에 내 부탁도 해 주렴. 온 김에

만나 보자. 하던 김에 이 일도 해치우자.

이상에서 보면 '㉠'부의 의존명사는 모두 39개이나 뜻으로 보면 47 낱말이 된다. 뜻에 의한 분석과 분류는 제2편의 제1장을 참고하기 바란다.

2. ㉡부의 의존명사

나름 명사와 동사 밑에 쓰이어 됨됨이 또는 하기에 달림을 나타내
　　는 말. ㉮사람 나름. 물건 나름. 보기 나름. 먹을 나름. 자기
　　나름대로의 기준. 내 나름의 견해. 사람도 사람 나름이죠. 네
　　나름대로 하라.

나마²=남짓 ㉮반 년 나마의 멀고 고된 길이었지만…. 한 시간이나
　　나마를 뒤진 뒤에….

냥(兩) ①한 돈의 열 곱에 해당하는 무게를 나타내는 단위. ㉮금
　　한 냥. ②예전에 한 돈의 열 곱에 해당하는 돈의 액수를 나타
　　내는 단위. ㉮열 양의 돈. ㉠'돈'을 뜻하는 명사 뒤에 곧바로
　　쓰이어 '약간의 냥'의 뜻을 나타낸다. ㉮돈 냥이나 만진다.

냥쭝(兩重) 한 냥쯤 되는 무게. ㉮금 한 냥쭝.

년¹ '여자'나 '여자 아이'의 낮은 말 또는 낮춤말. ㉮어린 년. 어떤
　　년이. ㉫놈①

년²(年) 정월부터 섣달까지의 열두 달 동안. 한자말 숫자 다음에
　　주로 단위로 쓰인다. ㉮일 년에 한 번. 삼 년 세월.

녘 ①어떤 쪽이나 가. ㉮길 왼녘에 선 나무. ②어떤 무렵. ㉮해질
　　녘. 동이 틀 녘.

님¹ 사람의 성이나 이름에 붙여 그 사람을 높이는 뜻을 나타내는

말. ㉝주시경 님. 김 님.

님² 바느질 소용으로 토막 친 실을 세는 말.

닢 ①돈이나 가마니, 멍석 따위와 같은 납작한 물건의 낱낱을 세는 말. ㉝엽전 한 닢. 돗자리 두 닢. 멍석 한 닢. ②수¹²

'㉡'부의 의존명사 수는 10낱말에 지나지 않으나 뜻으로 보면 12 낱말이 된다.

3. ㉢부의 의존명사

단보(段步) 논밭의 넓이를 나타내는 단위. 1단보는 300평이다.
　　比단³

당(當) 주로 단위를 나타내고 명사 뒤에서 그 명사가 가리키는 '사
　　물들 하나하나 앞에'의 뜻을 나타낸다. 例땅이 평 당 얼마씩
　　갑니까? 마리 당. 근 당. 호 당. 일인 당.

대(臺) ①차, 비행기 또는 기계 따위를 세를 단위. 例자전거 한 대.
　　비행기 두 대. 윤전기 한 대. ②수 액수 따위를 뜻하는 말 아래
　　붙어서 '그 개체의 범위'를 나타내는 말. 例백억 대의 재산가.

대(代) ①세대나 지위의 차례를 세는 단위. 例조선의 4대 임금. "대"
　　는 "나"를 중심으로 하여 위로 올라가며 헤아릴 때 쓰므로
　　"나"는 포함되지 않는다. "4대조"라 하면 "나"를 빼고 "아버지
　　- 할아버지 - 증조부 - 고조부"로 올라가며 헤아리므로 "4대
　　조"는 고조부를 일컫는 말이다. 地지질시대를 나타내는 가장
　　큰 구분 단위.

대로⁵ 그 이끄는 짜임새를 부사어로만 되게 하는 의존명사의 하나.
　　①'그 상태로'의 뜻. 例놓인 대로 두어라. 느낀 대로 쓴 글. ②
　　'~하는 바와 같이'의 뜻 例말씀하신 대로 저도 그렇게 생각합
　　니다. ③'~로 좇아서, ~하는 데 따라'의 뜻. 例시키는 대로 하

시오. 하자는 데로 하겠다. ④'~하는 족족'의 뜻. ㉝보는 대로
사 달라 한다. 주는 대로 다 받아먹었다. ⑤용언의 관형형 다
음에 쓰이어 '만큼'의 뜻을 나타낸다. 특히 '~ㄹ(을)'꼴 뒤에서
는 '만큼'보다 센 뜻을 나타내기도 한다. ㉝되는 대로 하시오.
하고 싶은 대로 다 해 보았다. 좋을 대로 하시오.

데 ①'곳'을 나타내는 말. ㉝깊은 데. 사는 데. 갈 데가 없다. ②'경우'
나 '처지'를 나타내는 말. ㉝배 아픈 데에 잘 듣는 약. 일이
이렇게 된 데는 네게도 책임이 있다. ③'일'이나 '것'의 뜻을
나타내는 말. ㉝그를 설득하는 데에 며칠이 걸렸다. "밥을 먹
는데 영희가 왔다."에서 "~는데"는 연결형어미이고 "밥을 먹
는 데에 삼일이 걸렸다."의 "데"는 "일"이나 "것"을 뜻하는 의
존명사이다. 의존명사 "데"는 연결어미 "~는데"와 달리 조사
"에"를 붙여 쓸 수 있다.

도(度) ①《수》 각도의 단위. 보통 숫자 어깨에 °를 두어 나타낸다.
90°, 360° 따위. ②《지》 경도 위도의 단위. ③《물》 온도의
단위. ㉝섭씨 100도. ④《악》 음정을 나타내는 단위. ㉝완전5
도 감3도. ⑤횟수를 세는 말. ㉝4도 인쇄. ⑥《화》 경도. 비중
농도를 나타내는 단위. ㉝30도 소주.

돈 ①옛날에 엽전 열 푼을 단위로 세는 단위. ②무게 열 푼을 단위
로 세는 단위. ㉝금 한 돈. 𝕓돈 쭝.

두(頭)=마리² ①㉠ ㉝젖소 20두. 말을 몇 두나 기르시오.

두락=마지기.

둥 ①용언의 관형사형 '-ㄴ/-는/-은'과 '-ㄹ/-을' 아래와 주로 '말
다'의 관형사형 '만/마는/말' 아래에 '~둥 ~둥' 꼴로 거듭 쓰
이어 '~것 같다'의 뜻을 나타냄. ㉝보는 둥 마는 둥 했다. 먹은

둥 마는 둥 했다. 갈 둥 말 둥. 좋은 둥 만 둥. ②'~는 둥'으로 거듭 쓰이어 '이렇게 한다거니 저렇게 한다거니' 또는 '이렇다거니 저렇다거니'의 뜻을 나타냄. ㉞가겠다는 둥 안가겠다는 둥. 둥글다는 둥 모났다는 둥 서로 생각이 달랐다. 믿을 만한 사람이라는 둥 아니라는 둥 말들이 오갔다.

듯 용언의 관형사형 '-ㄴ/-은/-는/-ㄹ/-을' 아래에 쓰이어 ①'비슷하거나 같은 정도'의 뜻을 나타낸다. ㉞조는 듯 꾸벅거리고 있다. 부러운 듯 바라보고 있다. 속이 타는 듯 했다. ②'추측'의 뜻을 나타낸다. ㉞바람이 부는 듯 전선이 울고 있다. ③'거짓으로 꾸며져 있음'의 뜻을 나타낸다. ㉞퍽 겸손한 듯 행동하지만. 잘 아는 듯 이야기 한다.

듯이 '듯'의 힘줌말. ㉞부러운 듯이 바라본다. 잘 사는 듯이 말을 한다. 자기가 제일인 듯이 행동한다.

들 ①앞에 들어 보인 사물 모두. ㉞김 씨, 이 씨, 박 씨 들 세 분이 왔다 갔다오. 🗊등[7]. ②앞에 들어 보인 사물과 같은 그 밖의 것이 더 있음을 나타냄. ㉞서울, 부산, 대구 들 큰 도시에는 인구 문제가 심각하다. 🗊등[7]①

등[7](等) ①=등. ㉞철수, 영수 등이 왔다. ②=등등

등등(等等) 여러 사물을 죽 들어 말하다가 그 밖의 몇몇을 줄임을 나타냄. 명사 뒤에나 어미 '-는' 뒤에 쓰인다. ㉞떡, 밥, 술 등등 무척 먹어댄다. 글도 짓고 노래도 하고 그림도 그리는 등등 재미있게 즐겼다. 🗊등[7]①

따름 '-ㄹ/-을' 관형사형 용언 아래에 쓰이어 '오로지 그것'의 뜻을 나타냄. ㉞그저 웃기만 할 따름이다. 진리는 하나가 있을 따름이다.

따위 ①다른 말 아래에 쓰이어 '그와 같은 종류'의 뜻을 나타냄. ㉠두부, 콩나물 따위의 찬거리를 샀다. 그런 따위. ㉡말하는 대상을 하찮게 일컫는 말. ㉡네 따위가 뭘 안다고…. 이 따위를 어디에 쓴담. 두려움 따위는 없다. 철수 따위는 상대도 안 된다. 일을 이 따위로 밖에 못하겠어?

'ㄷ'부의 의존명사의 수는 18이나 뜻으로 보면 35가지나 된다.

4. ㉹부의 의존명사

레드(영.red) 물체에 쬔 방사선 분량의 단위. 방사선 종류에 관계없
이 물체 1g에 100에르그를 받을 경우를 1레드라 한다.

랜드(영.rand) 남아프리카의 기본 돈 단위.

량(輛) 열차의 차량 수를 세는 단위. ㉠화차 삼십 량.

럭스(영.lux) ≪물≫ 1촉광의 광원이 1m 거리에 있는 1㎡를 비치는
밝기의 단위. 기호 lx.

롱톤(영.long ton) 영국에서 쓰는 톤, 곧 2,240파운드(1016.1kg.)

루블(러.rull) 러시아 및 소련 화폐의 기본 단위.

루피(영.rupee) 인도, 파키스탄, 스리랑카 화폐의 기본 단위.

리(里) 약 0.4㎞쯤 되는 거리의 단위. ㉠십 리/ 백 리.

리(厘/釐) ①십진법에서 1,000분의 1을 일컫는 말. ②돈 단위에서
10분의 1전. ③길이 단위에서 '분'의 10분의 1. ④무게 단위에
서 10분의 1푼.

리(哩) 마일 ㉠시속 60마일.

리(浬) 해리[3]. ㉠오백 리.

리(理) 끝 'ㄹ' 다음에 '있다', '없다' 따위와 함께 쓰이어 '까닭', '이
치'의 뜻을 나타내는 말. ㉠그럴 리가 있나? 오르고 또 오르면
못 오를 리 없건마는…. 있을 리 없다.

리라[2](이.lira) 이탈리아의 기본 돈 단위.

리터(영.litre,liter) 미터법에서 1입방데시미터, 곧 약 5홉 5작에 해
당하는 들이의 단위. 기호 l, 또는 lit

림[2](영.ream) 양지를 세는 단위. 보통 480장인데 신문용지는 500장
이다.

'ㄹ'부의 의존명사의 수는 15개이고 뜻으로는 19개가 된다.

5. ㅁ부의 의존명사

마(碼)=야드 ㉠광폭 한 마 세치.

마리[2] ①동물을 세는 단위. ㉠네발짐승을 셀 때. ㉡토끼 두 마리.
㉤두[5], 필[3] ㉡날짐승을 셀 때. ㉡철새 한 마리. ㉤수[17]②. ㉢물고
기나 벌레를 셀 때. ㉡조기 세 마리. 개미 한 마리. ②이 말을
단위로 쓰는 명사와 함께 쓰이어 '약간의 그것'을 나타냄. ㉡
붕어 마리나 잡았다.

마리[3] '옛' 시의 편수를 세는 단위.

마신(馬身) 경마에서 말 한 마리의 길이로써 재는 거리의 단위. ㉡2
등을 한 말이 2 마신 차이로 들어왔다.

마이크로그램(영.microgramme) 백만 분의 1g. 'y'로 나타낸다.

마이크로퀴리(영.microcurie) 백만 분의 1퀴리.

마일(영.mile) 거리를 나타내는 단위의 하나. 1마일은 대략 1.6km쯤
된다. ㉤영리[4].

마지기[2] 한 말의 씨앗을 뿌릴 만한 논밭의 넓이를 나타내는 단위.
지방마다 다르나 대략 논은 200평, 밭은 300평에 해당한다.
㉡네댓 마지기 논. ㉤두락. ㉠이 말을 단위로 쓰는 명사 아래
에 쓰이어 '약간 수의 마지기'를 나타냄. ㉡거기에 논 마지기
나 가지고 있다.

만[4] 동안이 얼마 계속되었음을 나타내는 말. ㉠그가 떠난 지 사흘
만에 돌아왔다. 그가 온 지가 꼭 두 해 만이다.

만[5] ①명사나 동사의 '-ㄹ/-을' 아래에서 그 '정도의 이름'의 뜻을
나타낸다. ㉠나의 재주가 너 만(이야) 못하랴. 짐승 만(도) 못
한 사람. ②동사의 '-ㄹ/-을' 아래에 쓰이어 그렇게 쓰이어
그렇게 할 '값어치가 있음'을 나타낸다. ㉠한번쯤 볼 만(도·
은·이야) 한데.

만치[1]=만큼

만큼[1] ①(용언의 '-ㄹ/-는/-은' 꼴 뒤에 쓰이어) 그 '정도나 한도'의
뜻을 나타냄. '하다' 이외의 말이 뒤따라 쓰이는 점이 '만'과
차이가 있다. ②(용언의 '-ㄴ/-는/-은' 꼴 뒤에 쓰이어) 까닭
이나 근거를 나타낸다. ㉠질이 좋은 만큼 비싸겠지. 아는 만
큼 가르쳐 주다. ⑪만치[1]

말[9](末) 어떤 기간의 '끝'이나 '끝무렵'의 뜻. ㉠학기 말. 고려 말.
금년 말. ⑫초[11]

망정 '-기에', -니', -니까', '-이(지)', '-이, -야' 따위의 다음에 '망
정이지'로 쓰이어 '괜찮거나 잘 된 일'의 뜻을 나타낸다. ㉠급
히 왔기에 망정이지 하마터면 큰일 날 뻔했다. 마침 돈이 있
었으니 망정이지 안 그랬으면 영락없이 남의 손에 넘어가는
거였다. 애 네가 있었으니 망정이지 너마저 없었으면 혼자 애
먹을 뻔했다.

맡(맏) ①어떤 일이 다 마쳐지려는 바로 앞과 뒤. ㉠집에 들어서는
맡에 웬 사람이 등을 쳤다. 그 말을 마저 끝내려던 맡에 제지
를 당했다. 밥숟가락을 놓던 맡으로 뛰어 나갔다. ②해 오던
일의 도중에 얼마동안 멈추려는 바로 그때. ㉠읽는 맡에 다

읽어 치우자. 가던 말인데 계속 가십시다.

매(枚)=장²¹ ㉠원고지 열 매. 신문지 100매. ㉠이 말을 단위로 쓰는 말과 함께 쓰이어 '약간'의 뜻을 나타냄. ㉠종이 매나 가지고 있다.

머리² ①일정한 수량으로 이루어져 있는 몫. ㉠머리가 크다. 나도 세 찬계 한 머리만 주시게. 기부금 가운데 가장 큰 머리는 윗마을 최 진사의 것이었다. ②일의 한 차례나 한 판. ㉠한 머리 싸움이 지나고 산골짝엔 다시 뻐꾸기 소리가 퍼졌다. ③한 쪽 옆이나 한 쪽 가장자리. ㉠배추를 한 머리에선 뽑고 한 머리에선 손질을 하였다. ㉠뒷가지처럼 쓰이기도 한다. ㉠논머리. 밭머리. 상머리. ④어떤 철이나 때가 시작되는 무렵. ㉠새벽 머리. 삼복 머리. 해질 머리. 음력 칠월 초순 머리.

메가바(영.megabar) ≪물≫ 1㎠에 대하여 100만 다인의 힘이 주어질 때의 압력 단위. 기상학에서는 이 압력을 '1 바'로 한다.

메가바이트(영.megabyte) 데이터의 양을 나타내는 단위의 하나. 1,024킬로바이트 또는 1,048,576바이트. 기호 MB.

메가사이클(C프.megacycle) ≪물≫ 100만 사이클. 기호 MC. ㉷메가헤르츠

메가톤(프.megatonne) 티엔티 100만 톤의 폭발력과 같은 단위. 기호 Mt.

메가헤르츠(프.mega. 도.hertz) ≪물≫ =메가사이클

메시(영.mesh) 쳇눈 또는 가루 알갱이의 크기를 나타내는 단위. 보통 1㎠에 뚫린 구멍의 수로 나타낸다.

며리 '-ㄹ'꼴 관형어 다음에 쓰이어 '까닭'이나 '필요'의 뜻을 나타냄. ㉠시비를 따질 수도 있겠지만 그럴 며리가 도무지 없다.

폐를 끼칠 머리가 없지 않은가?

명(名) 숫자 아래에 붙어서 사람의 수효를 나타내는 말. ⑩한 명.
　　백 명.

모[7] 두부, 묵 따위의 덩이를 세는 단위. ⑩두부 한 모. 묵 두 모.

모[8](毛) 십진법에서 10,000분의 1을 일컫는 말.

모(mho) ≪물≫ 전기전도율의 실용 단위. 단면 1㎠, 길이 1cm의
　　도체의 전기저항이 1Ω일 때에 그 물체의 전도율을 가르킨다.
　　'ohm'을 거꾸로 한 말로 기호도 ℧로 쓴다.

목[6] 전날에 세금계산에 쓰이던 토지 넓이의 단위. 50,000주척 평방
　　곧 2000㎡쯤 ⑪결[7]

묘[6](畝) 땅 넓이의 단위. 단(段)의 십 분의 일에 해당되는 30평을
　　일컫는다.

문[5](文) 신발 치수의 단위.

문[6](門) 포나 기관총 따위를 세는 단위. ⑩포 다섯 문. 기관총 세 문.

물 ①새 옷이나 빨아 입은 옷에 대하여 다음 빨래 때까지의 동안.
　　⑩몇 물 빤 옷이지만은 새 옷 같다. ②농산물이나 해산물 따
　　위가 얼마 동안의 사이를 두고 한 목 한 목 무리로 나오는
　　차례. ③누에 슬어 놓은 차례. ④어떤 일이 한창인 때. ⑩그의
　　인기도 한 물 갔다. 그런 옷도 한 물 지난 것이다.

미크론(그.micron) 전기 음향의 파장 분자와 분자 사이의 거리. 미
　　생물의 크기 같은 것을 재는 단위. 1㎜의 1,000분의 1에 해당
　　하며 기호는 μ로 나타낸다.

미터(영.metre) 미터법에 따른 길이의 기본 단위.
　　지구 자오선의 4,000만 분의 1로 정하였다. 기호 m.

밀[4](영.mil) ①전선의 지름 같은 것을 재는 단위. 1,000분의 1인치에

해당한다. ②'군' 포사격에서 쓰는 원둘레의 6,400분의 1의 호에 대한 각도의 단위.

밀리(영.milli) '미리미터' 따위의 준말.

밀리그램(영.milligram) 1,000분의 1그램. 기호 mg.

밀리뢴트겐(도.milliröntgen) 1,000분의 1뢴트겐.

밀리리터(영.millitre) 1,000분의 1리터. 기호 ml.

밀리몰(millimol) ≪화≫ 농도의 단위. 1,000분의 1몰.

밀리미크론(millimicron) 길이의 단위. 1,000분의 1미크론. 기호 mμ.

밀리미터(영.millimetre) 10분의 1센티미터. 기호 mm. 준밀리.

밀리바(영.Millibar) 주로 기압을 재는 데에 쓰이는 압력의 단위. 1,000분의 1바. 기호는 mb 또는 mbar.

밀리볼트(영.millivolt) ≪물≫ 1볼트의 1,000분의 1볼트. 기호 mV.

밀리암페어(영.miliampere) ≪물≫ 1,000분의 1암페어. 기호 mA.

밀리와트(milliwatt) 1,000분의 1와트. 기호. mW.

'ㅁ'부의 의존명사는 47개인데 뜻으로는 53개가 된다.

6. ㈂부의 의존명사

바⁴ ①용언의 관형사형 '-ㄴ/-은/-는'과 '-ㄹ/-을', '던' 다음에 쓰이어 앞 말의 그 내용(사실)이나 일 따위를 나타내는 말. ㉠내가 본 바를 말하겠다. 말하는 바에 따라. 우리가 할 바가 무엇이냐? 내가 생각하던 바와는 다르다. ②'방법'을 나타낸다. ㉠어찌할 바를 모르겠다. ③주로 '-바에'로 쓰이어 '기회', '경우' 따위를 나타낸다. ㉠여기까지 온 바에 그를 만나지 않을 수 없다. 고생을 하는 바에 좀 더 견딥시다. 이왕 늦은 바에 더 놀다 가렴. 거기에 갈 바에는 이것을 가지고 가지. 어차피 매를 맞을 바에는 먼저 맞겠다.

바⁵(영.bar) ≪물≫ 압력의 절대 단위. 1㎠에 대하여 100만 다인의 힘이 작용할 때의 압력 단위.

바람³ ①어떤 일에 더불어 일어나는 기세. ㉠술 바람에 할 말을 다 했다. ②용언의 관형사형 '-ㄴ/-은/-는' 다음에 쓰이어 '원인'이나 '근거' 등을 나타내는 말. ㉠모두 웃는 바람에 잠시 어리둥절했다. ③어떤 기세나 기운이 일어나는 짧은 동안. ㉠단 바람으로 집에까지 달려 왔다. ④몸에 차려야 할 것을 차리지 않고 있는 행색. ㉠저고리 바람으로 나들이를 할 수는 없소. 버선 바람으로 달려 나갔다.

바이트(영.byte) 컴퓨터의 정보량 단위. 1바이트는 8비트이다.

바탕² ①활을 쏘아 살이 미치는 거리로 길이를 재는 단위. ⑩활 두 바탕 거리. 한 세 바탕쯤 떨어진 곳. ②어떤 일의 한 차례. ⑩ 씨름을 몇 바탕 했으나 모두 지고 말았다. 장기를 두 바탕 두 다가 그만 싸움이 벌어졌다. ③어떤 무렵이나 때. ⑩그 작가가 늙을 바탕에 쓴 걸작. 육십 바탕을 서넛쯤이나 넘었을 듯한 백발 노옹. ≪죽서루≫

발⁸(發) ①=방⁸① ⑩총 한 방. 몇 방의 박격포. ②비행기 같은 것에 장치되어 있는 발포기의 수를 나타내는 단위. ⑩4발 비행기

발⁹(發) ①시간이나 땅이름을 나타내는 말 뒤에 쓰이어 '그 때' 또는 '그 곳에서 떠남'의 뜻. ⑩0시 30분 발 부산행 열차. 서울 발 여객기. 쨉착 ②시간이나 땅이름을 나타내는 말 뒤에 쓰이어 '그 때' 또는 '그 곳에서 보냄'의 뜻. ⑩5일 발 외신. 동경 발 ○○통신.

방⁷(磅) =파운드²

방⁸(放) ①총포를 쏘거나 남포 따위를 터트리는 수의 단위. ⑩총을 한 방 놓았다. 남포가 서너 방 터졌다. 뗍발⁸①. ②주먹 따위를 때리는 수. ⑩주먹 한 방에 나가 떨어졌다. ③방귀를 뀌는 수. ⑩방귀를 몇 방 뀌고 나니 속이 시원하다.

배⁷(杯) 술이나 음료의 잔 수를 세는 단위. ⑩일 배 일 배 부일 배.

배⁸ '바이'의 준말로 '바가'의 뜻. ⑩그들이 무어라 말하든 내 알 배 아니다.

보¹¹ 저담이나 웅담 따위를 세는 단위. ⑩웅담 두 보. 산저담 세 보. 얼음 상자에서 양 한 보를 꺼내서 소금을 뿌려 거피를 내고 이겼다.

보^{12}(步) ①주척으로 여섯 자 되는 길이를 단위로 하여 거리를 재는 단위. ②=걸음^4 예십 보 앞으로. ③=평^2

보지락 농촌에서 빗물이 땅속에 스며들어간 깊이가 땅을 가는 데 보습이 들어갈 만큼만 된 정도로서 비가 내린 분량을 헤아리는 단위. 예봄비가 한 보지락 멋지게 내렸다.

본(本) 영화 필름의 한 편을 세는 단위 예필름 한 본만 복사하였다.

부^{11}(附) 날짜를 나타내는 말 다음에 쓰이어 그 날짜로 발행되거나 효력이 발생된 것임을 나타냄. 예3월 1일 부 신문. 오늘 부로 과장직에 임명한다. 내일 부로 사표를 내겠다.

부^{12}(일 分)=분^9

분^8 ①지시대명사나 관형어 다음에 쓰이어 '사람'을 높이어 일컫는 말. 예이 분. 그 분. 일하시는 분. ②위 ①의 세는 단위. 예두 분. 손님 몇 분.

분^9(分) ①한 시간의 60분의 1을 나타내는 단위. 예두 시간 오 분. ②각도나 경도에서 1도의 60분의 1을 나타내는 단위. 예30도 5분.

③=몫① 예세 사람 분. 열 명 분.

④=푼^3 예1전 5푼

⑤'분의'로 쓰이어 '몇 부분으로 나눈 가운데의'를 나타냄. 예 3분의 1

뿐^1 ①용언의 '-ㄹ/-을/' 꼴 아래에서 '다만 그리하거나 그렇게 할 따름'이라는 뜻을 나타냄. 예좋을 뿐 아니라 값도 싸다. 들었을 뿐이고 보지는 못했다. ②서술형어미 '-다' 아래에 쓰이어 '오직 그렇게 하거나 그러하다는 것만 한정함'을 나타낸다. 예갔다 뿐이지 볼 수가 없었다. 돈만 없다 뿐이지 다른 것은

다 갖춘 신랑감이다.

'ⓗ'부의 의존명사는 모두 19개이지만 뜻으로 보면 38개가 된다.

7. ㉄부의 의존명사

사(事) 지시, 명령, 경고 따위의 글에서 용언의 '-ㄹ/-을' 관형사형에 이어 '일' 또는 '것'의 뜻을 나타냄. ㉔면회인은 반드시 수위실을 경유할 사. 규장각을 혁파할 사.

살[5](ㄷ설/ㄷ셜) ①나이를 세는 말. ㉔한 살 두 살. ②→잠[l]②

새 피륙의 날을 세는 단위. 날실 여든 올을 한 새로 친다. 비슷승[8]

석(石)=섬[2] ㉔공양미 삼백 석.

선[11](仙)=센트(cent)

성[8] 용언의 관형사형 '-ㄴ/-은/-는/-ㄹ/-을' 아래에 '싶다' 따위와 함께 쓰이어 '것 같다'의 뜻을 나타낸다. '-ㄹ/-을' 아래에서는 '가능성'의 뜻을 띠기도 한다. ㉔나는 일등을 할 성 싶다. 그가 오늘 올 성 싶다. 비슷성싶다.

성[9](成) 황금의 순도를 나타내는 단위 이름. 순수한 정도를 십 등분하여 십 성이면 순금이라 한다.

세[5](世) ①가계나 지위의 차례를 나타내는 단위의 하나. ㉔삼 세손. 사 세손. 나폴레옹 3세. 록펠러 2세. ②㉘지질시대를 나눈 단위로 하나는 기(紀)를 나눈 것이다. '세'는 조상으로부터 아래(후손)로 내려오면서 헤아릴 때 사용한다.

세[6](歲) 한자말 숫자 다음에 쓰여 '살'을 나타내는 말. ㉔금년 15

세. 만 이십 세.

센트(미.cent) 미국 돈의 단위 이름. 100센트가 1달러가 된다. 비선[17]

센티(영.centi) 센티미터의 준말.

센티그램(영.centigram) 100분의 1그램. 기호 cg.

센티리터(영.centiliter) 100분의 1리터. 기호 cl.

센티미터(영.centimetre) 100분의 1미터. 기호 cm. 준센티.

손[7] 손아랫사람을 '사람'보다 낮추고 '자'보다는 좀 대접하여 쓰는 말. 지방에 따라서는 한 집안에서 손아랫사람의 택호 아래 쓰이기도 한다. 예그 손. 젊은 손. 평택 손에게 물어 보아라.

손[8] 주로 용언의 끝 '-다'나 관형사형 'ㄹ'의 아래에 '셈'의 뜻으로 쓰이는 말. 예철이 없다 손 치더라도. 그대로 호지부지 넘긴다 손 치자. 못 만날 손 잡더라도.

손 고기 두 마리를 합하여 세는 셈의 단위. 예조기 한 손. 고등어 두 손.

수(首) ①시나 노래, 닭 등을 세는 단위. 예시 한 수. 시조 다섯 수. ②=마리[2]①ㄴ 예닭 20수.

승[7](升)=되[1]②

승[8](升)=새[7]

심(尋) ①노끈이나 물깊이 따위를 재는 길이의 단위. 중국에서는 8자, 우리나라에서는 여섯 자로 헤아린다. ②=길[6]①

씨(氏) 사람의 성이나 이름에 붙어 그 사람을 높이는 뜻을 나타내는 말. 예홍길동 씨. 대 "그 사람"의 뜻으로 일컫는 말. 예씨는 우리 문단의 일인자이다.

'ㅅ'부의 의존명사의 수는 22개인데 뜻으로 보면 28가지가 된다.

8. ㅇ부의 의존명사

양⁹ ①용언의 관형사형 '-ㄴ/-은/-는' 아래에 쓰이어 '모양, …처럼'
의 뜻을 나타낸다. ㉔마치 학자인 양으로 말한다. 아는 것도 모
르는 양을 했다. ②용언의 관형사형 '-ㄹ/-을' 아래에 쓰이어
'하고자 하는 생각'의 뜻을 나타낸다. ㉔데려갈 양으로 왔다.
공부를 할 양이면 마음을 가다듬어야지.

양¹⁰(孃) 여자의 성명 밑에 붙여 '처녀'의 뜻을 나타낸다. ㉔이 양.
김순자 양.

에이커(영.acre) 땅 넓이의 영국 단위. 약 4,047㎡

엔²(일.yen(圓)) 일본 화폐 단위의 하나. '센'의 100배 ㉗원¹⁰②

연¹¹((취連)C영.ream) 양지 오백 장의 단위. ㉔한 연, 두 연

영⁸(슈) 가죽 따위를 세는 단위 이름. ㉔호피 일 영. 양피 세 영.

영⁹(齡) 누에의 나이를 세는 단위 이름. 잠과 잠 사이

옴(도.ohm) ≪물≫ 전기저항의 실용 단위. 두 끝에 1볼트의 전위치
가 있는 도선에 1암페어의 전류가 흐를 때, 그 도선이 작용하
는 저항. 기호 Ω.

와트시(영.watt) ≪물≫ 전기에너지의 실용 단위. 1와트의 전력으로

써 한 시간에 하는 일의 양.

와트초(미.watt초) ≪물≫ 1와트의 전력으로써 1초 동안에 하는 일
의 양.

우리 기와를 세는 단위. 한 우리는 2,000장이다. 줜울⁴

울⁴ '우리'의 준말

원⁸ 1962년 6월 10일부터 시행한 우리나라 돈의 단위.
전의 100곱절.

원⁹(元) ①조선 말기 돈의 단위. ②자유중국의 돈 단위의 하나.
1원은 10각이다.

원¹⁰(圓) ①1953년 2월 15일에 시행한 화폐개혁 이전의 돈 단위. 전
의 100곱절. ②=엔²

위⁷(位) 신주 또는 위패에 모신 신의 수효를 셀 때에 쓰는 말. ㉪법
당에 모셔져 있는 세 위의 큰 불상.

이¹¹ 지시대명사나 관형어 다음에 쓰이어 사람을 약간 높이어 일컫
는 말. ㉪말하는 이. 맡을 이.

일³(日) '한 날'의 뜻으로 한자말 다음에 주로 날수를 세는 단위로
쓰인다. ㉪삼 일 동안. 십 일이나 걸렸다.

잎(입) ①명주실 한 바람. ②=닢

'◎'부의 의존명사의 수는 19개인데 뜻으로 보면 20개이다.

9. ㉜부의 의존명사

자[9](者) 사람을 좀 얕잡아 가리켜 일컫는 말로 저 '사람' 또는 '놈'이
　　란 뜻. ㉖그 자. 저 자.

작(勺) ①분량의 단위. 한 홉의 10분의 1을 나타내는 단위. ②한 평
　　의 100분의 1을 나타내는 단위.

장[19] 뫼를 세는 데 쓰이는 단위. ㉖뫼 한 장도 쓰지 않은 산.

장[20](丈) ①길이 단위의 한 가지. 한 장은 10척.

　　②한자로 된 숫자 아래에 붙이어 사람의 키를 나타내는 '길
　　이'의 뜻으로 쓰는 말.

장[21](張) ①종이나 유리 따위의 얇고 넓적한 물건을 세는 데 쓰는
　　말. ㉖김 석 장. 유리 두 장. 종이 일곱 장. ㉫매

　　②활을 세는 단위

　　③접미사처럼 쓰이어 '얇고 넓적한 물건의 조각'의 뜻을 나타
　　낸다. ㉖백짓장. 종잇장

저[4](著) 저술, 저작의 뜻. '지음'으로 순화.

적[10] ①용언의 관형사형. 어미 '-ㄹ/-ㄴ' 따위의 다음에 쓰이어 그
　　동작이 진행되거나 그 상태가 나타나 있는 때를 나타냄. ㉖꽃
　　이 필 적에. 나이가 어릴 적에. 내가 학생이었을 적에. 한 번도
　　본 적이 없다.

②명사 뒤에 쓰이어 지나간 '그 때'를 나타냄. ㉙세 살 적에 찍은 사진. 처녀 적 생각이 난다. 태고 적 이야기.

전(錢) ①돈의 단위 곧 '원'의 백분의 일.

②옛날 엽전 '열 푼'을 일컬음으로 한문 숫자 밑에 쓰는 말.

③무게 '열 푼'의 일컬음으로 한문 숫자 밑에 쓰는 말.

정(町) ①거리의 단위. 간의 60배에 해당한다.

②지적의 단위. 단의 10배, 곧 평의 3,000배에 해당한다.

정(挺)=자루

제(劑) 탕약 스무 첩, 또는 그만한 분량으로 일컫는 말. ㉙보약 한 제. 탕약 다섯 제. 몸에 사물탕이 좋다고 하여 두어 제 지어 먹었다. ㉠이 말을 단위로 쓰는 명사 아래에 쓰이어 '약간의 제'의 뜻을 나타낸다. ㉙보약 제나 자시면 효험이 있을 것입니다.

조[10](條) ①'조목이나 조항'의 뜻. ㉙헌법 제1조.

②어떤 명목이나 조건. ㉙집을 계약하는 조로 20만 원을 주었다. 상금 조로 받은 돈.

조[11](朝) 한 계통의 임금이나 한 사람의 임금이 통치하는 동안. 접미사처럼 쓰이기도 한다.

족족[1](-쪽) '하나하나마다'의 뜻. ㉙보는 족족 잡아라. 가는 족족 정 들여 놓았다. 오는 사람 족족 다 그 모양이다.

좌(座) 집, 불상, 거울 따위의 일정한 물체를 세는 단위. ㉙한옥 1좌. 불상 1좌.

줄[4] '-ㄴ/-ㄹ' 관형사형 아래에 쓰이어 '사실', '방법', '셈속' 따위를 나타냄. ㉙먹을 줄 안다. 그런 줄을 몰랐다.

줄[5](영.joule) ≪물≫ 일과 에너지의 절대 단위. 일천만 에르그를 1

줄이라 한다.

지[7] 동작이 있었던 때로부터 지금까지의 동안을 뜻하는 말. 반드시 '-ㄴ/-은' 아래에만 쓰인다. ㉑내가 여기 온 지가 벌써 두 달이 넘었다.

지[8](指) '손가락'을 뜻하는 말. 한자어의 수 밑에 쓰인다.

집[2](輯) 시가나 문장 따위를 엮어 낸 차례의 책.

'ㅈ'부의 의존명사의 수는 20개인데 뜻의 종류로는 28가지가 된다.

10. ㉛부의 의존명사

차(次) 동사의 '-던' 꼴 다음에 쓰이어 그러한 기회의 뜻. ㉮떠나려
던 차에. 심심하던 차였는데 잘 오셨습니다.

착¹(着) 땅이름이나 시간을 나타내는 말 뒤에 쓰이어 '다다름'의 뜻.
㉮김포공항 착. 15일 착. 12시 착. ⑮발⁹①

착²(일 着)=벌²②

채⁷ ①집의 덩이를 세는 단위. ㉮오막살이 집 한 채. 기와집 세 채. ⑪동⁹
②. ②큰 가구 따위를 세는 단위. ㉮가마 한 채. 상여 두 채. 수레
몇 채. ③이불 따위를 세는 단위. ㉮이불 두 채. ④인삼 백근의
단위를 일컫는 말. ㉮두세 채의 인삼.

채⁸ ①용언의 '-ㄴ/-은' 뒤에 쓰이어 '어떤 상태 그대로임'의 뜻.㉮
꿩을 산 채로 잡았다. 앉은 채로 잠을 잤다.

　　②=째〈평북〉

척(尺)=자¹②

척(隻) 배의 수효를 세는 단위. ㉮배 두 척.

체⁴ 용언의 관형사형 '-ㄴ/-은/-는' 아래에 쓰이어 '짐짓 꾸며서
함'을 나타낸다. ㉮들은 체도 하지 않았다. 잘 난 체라도 하고
싶으냐. ⑪척⁴. 체 -하다. (보형)(여불) ㉮돈이 꽤 많은 체하다.

초¹¹(初) 어떤 기간의 '처음'이나 '초기'의 뜻. ㉮고려 초에. 금년 초.

학기 초. 반말[9]

초(秒) ①한 시간을 삼백육십 도막으로 고르게 나누었을 때, 그 하나하나의 시간 길이를 헤아리는 단위. 예일 분 일 초. ②각도 일도를 삼백육십으로 고르게 나누었을 때, 그 나누어진 하나하나의 각도를 헤아리는 단위.

촉[6](燭) ≪물≫ '촉광②'의 준말. 예백 촉짜리 전등.

촌(寸) ①=치. ②친족 관계의 멀고 가까움을 나타내어 세는 말. 예그 분과는 몇 촌이나 되는가?

추[2](錘) 방추의 수를 나타내는 단위. 예백 추.

축[1] ①다 같이 지니고 있는 특성에 따라 갈라지는 또래. 예젊은 축. 예쁜 축에 든다. 그 축에 끼이지도 못한다. ②여러 사람으로 이루어진 한 무리. 예한 축은 이미 떠났고 다음 축은 떠날 채비를 하고 있다.

축[8] 오징어 스무 마리의 단위. 요즈음은 열 마리로 한다. 예오징어 한 축.

축[9](軸) ①책력 스무 권을 기준으로 하여 세는 단위.
②한지는 열 권, 두루마리는 하나를 기준으로 하여 종이를 세는 단위.
③예전에 과거를 볼 때 답안 열장을 하나로 묶어 세는 단위.

치[5] ①사람을 나타내는 '이'의 낮춤말. 예그 치. 이 치. 젊은 치들이 하는 일이란…. ②어떤 곳에 있거나 어떤 곳에서 나는 물건. 예속의 치. 옛날 치. 사과는 대구 치가 좋다.

치[6] 일정한 몫. 예하루 치 양식. 몇 달 치의 일거리. 세 사람 치의 일삯.

치[7] 한 자의 10분의 1에 해당하는 단위. 예한 자 세 치. 한 치의

땅도 양보할 수 없다. ⑪촌①

'㉛'부의 의존명사 수는 모두 19개이나 뜻으로 보면 29개이다.

11. ㅋ부의 의존명사

칸델라[2](도.candela) ≪물≫ 광도의 단위. 1,769°C에서의 흑체 1㎠당
의 광도 60분의 1로서 1948년 국제 도량형 총회에서 결정하
였다. 기호 cd.

칸통 집의 몇 칸 되는 넓이. 예두 칸통. 세 칸통.

캐럿(영.carat) ①금의 순도를 나타내는 단위. 순금을 24로 하고 24
분의 1을 1캐럿이라 한다. 기호 k. kt. ②보석의 무게를 나타
내는 단위. 약 250mg을 1캐럿이라 한다. 기호는 car. ct.

쾌, 쾌[3] ①북어 스무 마리를 한 단위로 세는 말. 예북어 한 쾌. ㄱ단
위로 쓰는 명사와 함께 쓰이어 몇몇 수의 그것을 나타낸다.
예북어 쾌나 샀다. ②전날에 엽전 열 꾸러미 곧 열 냥을 한
단위로 세는 말. 비관[14] ㄱ이 말을 단위로 쓰는 명사 아래에
쓰이어 '약간의 쾌'를 나타낸다. 예엽진 쾌나 가졌다.

쿨롬(프.coulom) ≪물≫ 전하량의 실용 단위. 1암페어의 전류가 1
초 동안 운반하는 저하량이다. 기호 c.

퀴리(프.curie) ≪물≫ 방사능 물질의 양을 나타내는 단위. 라듐 1g
과 같은 방사능을 가진 질량이다. 기호 c.

퀸틀(영.quintal) 주로 곡물의 100kg에 해당하는 무게의 한 단위.

킬로(그,영.kile) '킬로미터', '킬로그램', '킬로와트' 따위의 준말.

킬로그램(영.kilogram) 1,000그램을 나타내는 단위. 기호. kg.
〖준〗킬로

킬로그램미터(영.kilogram metre) ≪물≫ 일의 단위. 1킬로그램의 물
체를 높이 1미터 끌어올리는 데 필요한 일의 분량.

킬로그램 원기(영.kilogram. 原器) 미터조약에 따라서 1킬로그램의
무게를 표준한 분동.

킬로그램중(영.killogram重) ≪물≫ 힘의 단위. 1그램중의 1,000배.
기호 kgw, kgf.

킬로그램칼로리(영. kilogramcalorie) 1,000칼로리를 나타내는 단위.
기호 cal, kcal. 〖비〗킬로칼로리

킬로리터(영.kiloliter) 1,000리터를 나타내는 단위. 기호 kl.

킬로미터(영.kilometre) 1,000미터를 나타내는 단위. 기호 km.
〖준〗킬로

킬로바이트(kilobyte) 데이터의 양을 나타내는 단위의 하나. 1.024바
이트를 말한다. 기호 KB. 단이 단위가 기억장치의 용량을 나
타내는데 사용되면 KB 대신 k를 사용한다.

킬로볼트(영.killovolt) ≪물≫ 1,000볼트를 나타내는 단위. 기호 kV.

킬로사이클(영.kilocycle) ≪물≫ 1,000사이클을 나타내는 단위.

킬로암페어(C영.kiloampere) ≪물≫ 1,000암페어를 나타내는 단위.
기호 kA.

킬로와트(영.kilowatt) ≪물≫ 1,000와트를 나타내는 단위. 기호 kW.
〖준〗킬로

킬로와트시(영.kilowatt-hour) ≪물≫ 1,000와트시를 나타내는 단
위. 기호 kwh.

킬로전자볼트(영.kilo전자volt) ≪물≫ 1,000전자볼트를 나타내는

단위. 기호 keV.

킬로칼로리(C영.kilocaloie) 1,000칼로리를 나타내는 열량의 단위.

　　기호 cal, kcal. 囲킬로그램칼로리

킬로퀴리(C프.kilocurie) ≪물≫ 1,000전자볼트가 되는 방사능의 단위.

킬로톤(영.kiloton) 1,000톤을 나타내는 단위.

킬로헤르츠(도.kilo hertz) ≪물≫ 1,000헤르츠를 나타내는 단위.

　　기호 Khz.

'㋺'부의 의존명사의 수는 26개요, 의미면으로 보면 29개이다.

12. ㅌ부의 의존명사

타(打) =다스. ㉠연필 한 타. 양말 두 타.

탕 어떤 일의 횟수를 나타냄. ㉠오늘은 운행을 열 탕이나 하였다.

터³ ①동사나 형용사의 끝 '-ㄹ' 뒤에 쓰이어 '예정'이나 '추측'의 뜻을 나타내는 말. ㉠내가 갈 터이다. 그것이 좋을 터이다. ② 동사나 형용사의 끝 '-ㄴ/-은' 뒤에 쓰이어 '형편'이나 '처지'의 뜻을 나타내는 말. ㉠세 끼를 굶은 터에 찬밥, 더운밥을 가리겠느냐?

턱⁵ ①=템. ㉠거리가 백 리 턱은 된다. 한 시간 턱을 기다렸다. 밥을 한 그릇 턱이나 비웠다. ②주로 관형사 '그' 다음에 쓰이어 '일이 되어가는 정도나 상태'의 뜻을 나타냄. ㉠만날 그 턱이지 뭐 다를 게 있나.

테² 서려 놓은 실의 묶음을 세는 말. ㉠한 테. 두 테

테³ 의존명사 '터'에 '이'가 합치어 줄어진 말. '-ㄹ'관형어 아래에 쓰이어 '작정'이나 '예정'의 뜻을 나타냄. ㉠나도 갈 테다. 할 테면 해 봐.

텍스(프.tex) 실의 굵기를 나타내는 국제표준화기구 단위의 하나. 길이 1,000m의 무게가 1g이 되는 실의 굵기를 1텍스로 한다. 숫자가 작을수록 실이 가늘다.

템 수량을 나타내는 말 다음에 조사 '이나'와 함께 쓰이어 '어떤 수량에 이르는 정도'의 뜻을 나타냄. ㉠두 달 템이나 걸리다니. 한 섬 템이나 먹는다. ⑪턱⁵①

톤(영.ton) ①무게의 단위. 프랑스에서는 1,000kg, 영국에서는 2,240파운드(1016.1kg), 미국에서는 2,000파운드(907kg)를 1톤으로 한다. 기호 t.

②들이의 단위. 기차 화물은 100입방피트(약 2.783입방미터), 기선 화물은 40 입방피트(약 1.113입방미터), 기선의 짐 실은 들이는 100입방피트(약 2.823입방미터)를 각각 1톤으로 하며 군함의 크기를 나타내는 배수량 톤수는 영국 톤수로 나타낸다.

톳(톤) 김 따위의 마흔 장 또는 백 장을 한 묶음으로 세는 단위. ㉠김 한 톳. ⑪속⁶②=톳² ㉠이 말을 단위로 쓰는 명사 아래에 쓰이어 약간의 그것을 나타낸다. ㉠김 한 톳이나 샀다.

통¹⁰ ①주로 체언 아래에서 '통에'로 쓰이어 어떤 일이 벌어진 판국이나 기회. ㉠난리 통에 온갖 고생을 하고, 싸움 통에 끼이다. 장마 통에 농작물이 잠겼다. 그 통에 깜짝 놀라 잠을 깨기는 하였지만. ≪유치진 원술랑≫ ②용언의 '-ㄴ/-은/-는' 꼴 아래에 '통에'로 쓰이어 '까닭', '근거' 따위를 나타냄. ㉠누가 고함을 지르는 통에 잠이 깨어 버렸다. 사람이 많은 통에 그를 만날 수가 없었다.

통¹¹ 서류나 편지를 세는 단위. ㉠한 통의 편지. 호적초본 세 통. ㉠이 말을 단위로 쓰는 명사 아래에 쓰이어 '몇몇의 통'의 뜻. ㉠그에게서도 편지통이나 받았다.

'ㅌ'부의 의존명사의 수는 12개인데 뜻으로는 17개이다.

13. ㄲ부의 의존명사

파(把)=줌④ '줌'의 뜻은 한 주먹으로 쥘 만한 분량의 단위. ㉐한
　　줌의 흙이지만 나에겐 의미가 크다.

판⁶(版) 책 따위에 쓰이는 종이의 크기를 나타내는 말. ㉐무슨 판으
　　로 책을 찍는가?

　　㉠흔히 접미사처럼 쓰이기도 한다. ㉐사륙판. 사륙배판.

페니(영.penny) 영국 돈의 단위. 1실링의 12분의 1이며 그 복수는
　　펜스라 한다.

페니히(도.pfennig) 독일 돈의 단위. 마르크의 100분의 1에 해당하
　　는 동전이다.

페세타(스.peseta) 에스파냐 돈의 단위.

펜스²(영.pence) 영국 돈의 단위. '페니'의 복수

편⁵(便) 사람이 오고가거나 물건을 부쳐 보내는 데에 이용하는 기
　　회나 수단. ㉐자동차 편. 비행기 편. 그 사람 편에 보냈다. 내
　　려가는 기차 편을 이용하였다.

편⁶(篇) ①책 속에서 같은 분야나 갈래 끼리 크게 가른 한 부분. ㉐

그 문학 전집은 소설, 시, 희곡 등 다섯 편으로 되어 있다.
②신문 따위를 세는 단위. ㉠시 다섯 편과 수필 두 편. 몇 편의
논문.

편[7](編) 사람이나 단체 이름 아래에서 '편찬'의 뜻. ㉠교육부 편 국
어 교과서.

편거리 인삼을 한 근씩 골라 맞출 때 그 개수를 세는 말.

평(坪) ①여섯 자 평방으로 땅의 면적을 재는 단위. ㉠논 백 평, 열
평의 대지. 比보[12]

②여섯 자 입방으로 입체를 재는 단위. ③한 자 평방으로 헝겊,
유리, 벽 따위를 재는 단위. ④한 치 평방으로 조각 구리판 따위
를 재는 단위. ⑤=조짐[2]

폭 ①'-은/-는' 관형사형으로 된 용언 다음에 쓰이어 '그러한 종류
에 딸린 것'의 뜻을 나타냄. ㉠열차도 안전한 폭이긴 합니다.
그이도 술을 좀 먹는 폭이지요.

②두 일을 견주어 놓고, 좋고 나쁨을 가리는 말에서 '이', '그'
또는 '-는' 관형사형으로 된 동사 다음에 형용사와 더불어 쓰
이어 '그러한 일의 쪽'의 뜻을 나타냄. ㉠섣불리 아는 것보다
모르는 폭이 낫다. 차라리 그 폭이 좋겠군요.

③'-은/-는' 관형사형으로 된 동사 다음에 쓰이어 '그렇게 헤
아리거나 인정하는 쪽'의 뜻을 나타낸다. ㉠안 먹었어도 먹은
폭으로 치자. 다시 태어난 폭 잡고…. 날짜로 치면 이틀은 걸
린 폭이다. 일종의 비상경계령이 내려진 폭이 되었다.

④'정도'나 '수량'을 뜻하는 말 다음에 쓰이어 '그러한 정도에

해당하는 크기'의 뜻을 나타냄. ㉰키가 나의 절반 폭밖에 안 된다. 사과를 네 개 폭은 먹었다.

폰(영.phon) 소리의 크기 단위.

푼 ①한 돈을 열로 나눈 것의 하나, 곧 엽전 한 닢의 단위. ㉰엽전 두어 푼.

②돈을 적은 액수로 보아 세는 단위. ㉰돈 한 푼 없다. 몇 푼 안 되는 보상금. ㉠이 말을 단위로 쓰는 명사 뒤에 쓰여 '약간 의 푼'을 나타냄. ㉰돈 푼이나 있다고 거들먹거린다.

③한 돈을 열로 나눈 무게의 단위. ㉰인삼 서른닷 돈. 匹분⁹④.

④한 치를 열로 나눈 길이의 단위. ㉰한 치 일곱 푼 되는 띠.

⑤십진법에서 100분의 1을 일컫는 말. ㉰타율 삼 할 오 푼의 강타자.

폼⁴ '-ㄴ /-는' 관형사형 동사 아래에 쓰이어 그 '동작이나 됨됨이' 의 뜻을 나타냄. ㉰서두르는 폼이 퍽 다급했나 보다. 말하는 폼을 보니 여간 아니겠다. 생긴 폼이 말이 아니다.

프랑(프.franc) 프랑스, 스위스, 벨기에의 돈 단위.

피트(영.feet) 길이 단위의 하나. 1피트는 12인치이고 약 30.48cm에 해당한다.

피피엠(영. ppm ⊂ parts per million) 농도의 단위로 1피피엠은 10^{-6} 이다.

'㉡'부의 의존명사는 18개이나 뜻으로는 31개이다.

14. ㅎ부의 의존명사

하(夏) ≪불≫ 중이 된 뒤로부터의 나이를 셀 때에 쓰는 말. ㉠대교
사는 법랍이 20하 이상이라야 함.

할(割) 십진법에서 10분의 1을 일컫는 말. ㉠10분의 5는 5할이다.

해 사람을 나타내는 명사 다음에 쓰이어 '것'의 뜻으로 '소유'를 나
타내는 말. ㉠내 해. 네 해. 뉘 해.

허(許) ①그쯤 되는 곳. ㉠오 리 허. 낙양성 십리 허에 높고 낮은
저 무덤아. ②편지나 적발에 '앞'의 뜻으로 평교 이하 사람의
성명 밑에 쓰는 말.

헥타르(영.hectare) 100아르를 나타내는 단위. 곧 10,000㎡에 해당한
다. 기호 ha.

헥토그램(영.hectogram) 100그램을 나타내는 단위. 기호 hg.

헥토리터(영.hectolitre) 100리터를 나타내는 단위. 기호 hl.

헥토미터(영.hectometre) 100미터를 나타내는 단위.

홉² ①물건을 되어서 헤아리는 것의 단위. 한 되의 10분의 1에 해당
한다. ②땅의 넓이를 재는 단위. 10분의 1평에 해당한다.

환(圜) ①≪경≫ 1953년 2월 15일부터 1962년 6월 9일까지의 우리
나라 화폐단위의 하나. ②대한제국 때의 화폐단위.

홰 새벽에 닭이 홰를 치고 우는 차례를 세는 말. ㉠닭이 세 홰째

운다.

회[7](回) 한자말 수사 아래에 쓰이어 돌아오는 차례를 나타내는 말 ㉠제1회. 제5회. 발표회.

'㉭'부의 의존명사의 수는 12개인데 뜻으로 보면 13개이다.

제2부

우리말 의존명사의 의미에 따른 분류

여기서는 우리말 의존명사가 나타내는 뜻에 따라 같은 뜻을 나타내는 말을 한데 묶어 분류·설명하기로 한다.

1. 사람 단위의 의존명사

것 관형어나 대명사 아래에 쓰이어 그 사람을 낮잡아 가리키는 말.
⑩젊은 것들. 몹쓸 것들. 너 같은 것이. 그까짓 것이 무얼 안다
고 逪거[1]

년 여자나 여자아이의 낮은 말 또는 낮춤말. ⑩어린 년. 어떤 년.
逬놈[1]

분[8] ①지시대명사나 관형어 다음에 쓰이어 '사람'을 높이어 일컫는
말. ⑩이 분. 그 분. 일하시는 분.
②위 ①의 세는 단위. ⑩두 분. 손님 몇 분.

손[7] 손아랫사람을 '사람'보다 낮추고 '자'보다는 좀 대접하여 쓰는
말. 지방에 따라서는 한 집안에서 손아랫사람의 택호 아래 쓰
이기도 한다. ⑩그 손. 젊은 손. 평택 손에게 물어 보아라.

양(孃) 여자의 성명 밑에 붙여 '처녀'의 뜻을 나타냄. ⑩이 양. 김순
자 양.

울[4] '우리'의 준말

이[11] 지시대명사나 관형어 다음에 쓰이어 '사람'을 약간 높이어 일
컫는 말. ⑩말하는 이. 맡을 이.

자[9](者) 사람을 좀 얕잡아 가리켜 일컫는 말로 저 '사람' 또는 '놈'이
란 뜻 ⑩그 자. 저 자.

축 ①다 같이 지니고 있는 특성에 따라 갈라지는 또래.

②여러 사람으로 이루어진 한 무리. ㉑한 축은 이미 떠났고 다음 축은 떠날 채비를 하고 있다.

치 ① 사람을 나타내는 '이'의 낮춤말. ㉑그 치. 이 치. 젊은 치들이 하는 일이란….

군(君) 사람의 성이나 이름에 쓰여 친구나 손아랫사람을 친근하게 부를 때에 쓰는 말. ㉑김 군. 철수 군에게. ㉓자네. ㉑군은 무엇을 전공하는가? 군이 부탁한 일, 내가 알아 보았네.

님 사람의 성이나 이름에 붙어, 그 사람을 높이는 뜻을 나타내는 말. ㉑주시경 님. 김 님.

씨 사람의 성이나 이름에 붙어 그 사람을 높이는 뜻을 나타내는 말. ㉑홍길동 씨. ㉓그 사람의 뜻으로 일컫는 말. ㉑씨는 우리 문단의 일인자이다.

2. 넓이 단위의 의존명사

가웃지기 논밭의 넓이에서 마지기로 세고 남는 반 마지기의 단위.
⑩두 말 가웃지기.

결(結)=목[6] 전날에 세금계산에 쓰이던 토지 넓이의 단위 50,000주
척 평방. 곧 2000㎡쯤 ⑪결.[7]

경(頃)=정보.[2]

단보(段步) 논밭의 넓이를 나타내는 단위. 1단보는 3,00평이다. ⑪
단[3]

마지기[2] 한 말의 씨앗을 뿌릴 만한 논밭의 넓이를 나타내는 단위.
지방마다 다르나 대략 논은 200평, 밭은 300평에 해당한다.
⑩네댓 마지기 논. ⑪두락. ㉠이 말을 단위로 쓰는 명사 아래
에 쓰이어 '약간 수의 마지기'를 나타냄. ⑩거기에는 논 마지
기나 가지고 있다. 두락=마지기.

목 전날에 세금계산에 쓰이던 토지 넓이의 단위. 50,000주척 평방
곧 2000㎡쯤. ⑪결[7].

묘(畝) 땅 넓이를 나타내는 단위. 단의 십분의 일에 해당되는 30평
을 일컫는다.

보(步)=평[2]①

정(町) 지적의 단위. 단의 10배, 곧 평의 3,000배에 해당한다.

평(坪) ①여섯 자 평방으로 땅의 면적을 재는 단위. ㉠논 백 평, 열
평의 대지 ㉑보[12].

②한 자 평방으로 헝겊, 유리, 벽 따위를 재는 단위.

③한 치 평방으로 조각 구리판 따위를 재는 단위.

홉[2] 땅의 넓이를 재는 단위. 10분의 1평에 해당한다.

정보(町步) 땅의 넓이가 '정'으로 끝이 나고 끝수가 붙지 아니할 때
의 단위를 일컫는 말. 3,000평이 한 정보이다. ㉠세 정보. 다섯
정보. ㉑경[13]

단[3]=단보.

간통(間─) 집의 몇 칸 되는 넓이. ㉠세 칸통.

작(勺) 한 평의 100분의 1을 나타내는 단위.

3. 무게 단위의 의존명사

근(斤) 600g에 해당하는 재래의 무게 단위. 375g을 기준으로 하기
　　도 한다. 이 말을 단위로 쓰는 명사 아래에 쓰이어 '약간의
　　근'의 뜻을 나타낸다. ㉑고기 근이나 사야지.

관(貫)=쾌⁴② 무게를 재는 단위의 하나.

냥(兩) 한 돈의 열 곱에 해당하는 무게를 나타내는 단위.
　　㉑금 한 냥.

냥중(兩重) 한 냥쯤 되는 무게. ㉑금 한 냥중.

돈 ②무게 열 푼을 단위로 되는 단위. ㉑금 한 돈. ㉓돈중.

리(釐) ④무게 단위에서 10분의 1푼.

방(磅) 파운드².

전(錢) ③무게 '열 푼'을 일컬음으로 한문 숫자 밑에 쓰는 말.

4. 시간 단위의 의존명사

가지 ②제기를 차기 시작한 때부터 땅에 떨어지기까지의 동안.
⑩너는 한 가지에 몇 번이나 차니?

개년(個年) 한자말 숫자 다음에 쓰이어 햇수를 나타내는 말.
⑩오 개년. 칠 개년.

개월(個月) 한자말 숫자 다음에 쓰이어 달수를 나타내는 말.
⑩삼 개월. 일 년 육 개월.

기(紀) ≪지≫ 지질시대의 나눔 단위의 하나. 대(代)를 나눈 것이다.
중생대를 삼척기, 쥐라기, 백악기로 나눈 것 따위.

교시(校時) 학교의 수업 시간의 단위. ⑩1교시, 3교시 시작.

년(年) 정월부터 섣달까지의 열두 달 동안. 한자말 다음에 주로 단
위로 쓰인다. ⑩일 년에 한 번. 삼 년 세월.

녘² 어떤 무렵. ⑩해질 녘. 동이 틀 녘.

만 동안이 얼마 계속 되었음을 나타내는 말. ⑩그가 떠난 지 사흘
만에 돌아왔다. 그가 온 지가 꼭 두 해 만이다.

말(末) 어떤 기간의 '끝'이나 '끝 무렵'의 뜻. ⑩학기 말. 금년 말.
고려 말. 圓초.

맡 ①어떤 일이 다 마쳐지려는 바로 앞과 뒤. ⑩집에 들어서는 맡에
웬 사람이 등을 쳤다. 그 말이 마저 끝나려던 맡에 제지를 당

했다. 밥숟가락을 놓던 맡으로 뛰어 나갔다.

②해 오던 일의 도중에 얼마동안 멈추려는 바로 그때. ㉐읽는
맡에 다 읽어 치우자. 가던 맡인데 계속 가십시다.

머리 어떤 철이나 때가 시작되는 무렵. ㉐새벽 머리. 삼복 머리. 해
질 머리. 음력 칠월 초순 머리.

무렵 어떤 때의 부근. ㉐동틀 무렵. 저녁 무렵. 1980년 무렵. 해방
무렵.

물 ①새 옷이나 빨아 입은 옷에 대하여 다음 빨래 때까지의 동안. ㉐몇
물 빤 옷이지만은 새 옷 같다.
④어떤 일이 한창인 때. ㉐그의 인기도 한 물 갔다. 그런 옷도
한 물 지난 것이다.

바람 ③어떤 기대나 기운이 일어나는 짧은 동안. ㉐단바람으로 집
에까지 달려 왔다.

바탕 어떤 무렵이나 때. ㉐그 작가가 늙은 바탕에 쓴 걸작. 육십
바탕을 서넛쯤이나 넘었을 듯한 백발 노옹. ≪죽서루≫

발(發) ①시간이나 땅이름을 나타내는 말 뒤에 쓰이어 '그 때' 또는
'그 곳에서 떠남'의 뜻. ㉐10시 30분 발 부산행 열차. 서울 발
여객기. ㉑착 ②시간이나 땅이름을 나타내는 말 뒤에 쓰이어
'그 때' 또는 '그 곳에서 보냄'의 뜻. ㉐5일 발 외신. 동경 발
○○통신.

부[12]=분

분[9](分) 한 시간의 60분의 1을 나타내는 단위. ㉐두 시간 오 분.

세(世) ≪지≫ 지질시대를 나눈 단위의 하나. 기(紀)를 나눈 것이다.

적[10] ①용언의 관형사형. 어미 '-ㄴ/-은/-을' 따위의 다음에 쓰이어
그 동작이 진행되거나 그 상태가 나타나 있는 때를 나타냄.

㉠꽃이 필 적에. 나이가 어릴 적에. 내가 학생이었을 적에. 한 번도 본 적이 없다. ②명사 뒤에 쓰이어 지나간 '그 때'를 나타냄. ㉠세 살 적에 찍은 사진. 처녀 적 생각이 난다. 태고 적 이야기.

일(日) '한 날'의 뜻으로 한자말 다음에 주로 날수를 새는 단위로 쓰인다. ㉠삼 일 동안. 십 일이나 걸렸다.

조(朝) 한 계통의 임금이나 사람의 임금이 통치하는 동안 접미사처럼 쓰이기도 한다. ㉠고려조. 영조조.

지 동작이 있었던 때로부터 지금까지의 동안을 뜻하는 말. 반드시 'ㄴ(은)' 아래에만 쓰인다. ㉠내가 여기 온 지가 벌써 두 달이 넘었다.

초(初) 어떤 기간의 '처음'이나 '초기'의 뜻. ㉠고려 초에. 금년 초에. 학기 초. ㉫말.

초(秒) 한 시간을 삼백 육십 도막으로 고르게 나누었을 때 그 나누어진 하나하나의 시간 길이를 헤아리는 단위. ㉠일 분 일 초.

5. 돈 단위의 의존명사

냥(兩) ①예전에 한 돈의 열곱에 해당하는 돈의 액수를 나타내는 단위. ㉙열 냥의 돈. ②'돈'을 뜻하는 명사 뒤에 곧바로 쓰이어 '약간의 냥'의 뜻을 나타낸다. ㉙돈 냥이나 만진다.

닢(닙) 돈을 세는 말. ㉙엽전 한 닢.

돈[3] 옛날에 엽전 열 푼을 단위로 세는 단위. ㉙금 한 돈 ㊫돈쭝

돈쭝(⊂重)=돈[3]. ㉙금 서 돈쭝.

리(釐) ②돈 단위에서 10분의 1전.

분[9](分) ④=푼③ ㉙1전 5분.

원[8] 1962년 6월 10일부터 시행한 우리나라 돈의 단위. 전의 100곱절

원[9](元) ①조선 말기 돈의 단위. ②자유중국의 돈 단위의 하나. 1원은 10각이다.

원[10](圓) ①1953년 2월 15일에 시행한 화폐개혁 이전의 돈 단위. 전의 100곱절

　②=엔[3]

전(錢) ①돈의 단위 곧 '원'의 백분의 일. ②옛날 엽전 '열 푼'을 일컬음으로 한문 숫자 밑에 쓰는 말

쾌 ①전날에 엽전 열 꾸러미, 곧 열 냥을 한 단위로 세는 말. ㊫관[4]

①. ②이 말을 단위로 쓰는 명사 아래에 쓰이어 '약간의 쾌'를 나타낸다. ㉑그는 엽전 쾌나 가졌다.

푼 ①한 돈을 열로 나눈 것의 하나, 곧 엽전 한 닢의 단위. ㉑엽전 두어 푼. ②돈을 적은 액수로 보아 세는 단위. ㉑돈 한 푼 없다. 몇 푼 안 되는 보상금. ㉠이 말을 단위로 쓰는 명사 뒤에 쓰여 '약간의 푼'을 나타낸다. ㉑돈 푼이나 있다고 거들먹거린다.

환(圜) ①≪경≫ 1953년 2월 15일부터 1962년 6월 9일까지의 우리나라 화폐단위의 하나. ②대한제국 때의 화폐단위.

6. 길이 단위의 의존명사

길 ①길이 단위의 한 가지. 여덟 자 또는 열 자. 田심②.

②사람의 키와 한 길이.

리²(厘/釐) 길이 단위에서 '분'의 10분의 일.

리³(哩)=마일. ㉠시속 60마일.

리⁴(浬)=해리³. ㉠오백 해리.

마(碼)=야드. ㉠광목 한 마 세 치.

바탕² 활을 쏘아 살이 미치는 거리로 길이를 재는 단위.

㉠활 두 바탕 거리. 한 세 바탕쯤 떨어진 곳.

심(尋) 노끈이나 물 깊이 따위를 재는 길이의 단위. 중국에서는 여

덟 자. 우리나라에서는 여섯 자로 헤아린다.

장²⁰(丈) ①길이 단위의 한 가지. 한 장은 10척.

②한자로 된 숫사 아래에 붙이어 사람의 키를 나타내는 '길

이'의 뜻으로 쓰는 말.

촌(寸)=치⁷.

푼 ④한 치를 열로 나눈 길이의 단위. ㉠한 치 일곱 푼 되는 띠.

치⁷ 한 자의 10분의 1에 해당하는 단위.

㉠한 자 세 치. 한 치의 땅. 田키.

7. 수량(용량/분량) 단위의 의존명사

가리 삼을 벗길 때 널어 말리려고 몇 꼭지씩 한 데에 한 줌 남짓하게 엮은 분량.

가웃 되. 말. 자의 수를 셀 때 그 단위의 반에 해당하는 수량.

나마=남짓 ㉠반 년 나마의 멀고 고된 길이었지만…. 한 시간이나 나마를 뒤진 뒤에….

남짓 어떤 수량에 차고 조금 남는 정도. ㉠서 되 남짓…. 한 달 남짓. 스무 살 남짓. 열 개 남짓. ㉫나마²

매(枚)=장²¹ ㉠원고지 열장. 신문지 100장. ㉠이 말을 단위로 쓰는 말과 함께 쓰이어 '약간'의 뜻을 나타냄. ㉠종이 매나 가지고 있다. 이 말은 종이의 수량을 나타낸다.

석⁴(石)=섬² ㉠공양미 삼백 석 [참고] '석'은 명사로서 곡식 따위의 용량을 나타내는 단위의 하나.

섬² 곡식 따위의 용량을 나타내는 단위의 하나. 한 말의 열 곱절을 나타낸다. ㉠벼 한 섬. 보리 두 섬. ㉫석⁴.
　　㉠이 말을 단위로 쓰는 말과 함께 쓰이어 '약간 수의 섬'을 나타냄. ㉠벼 섬은 준비되어야 할 것이다.

분⁹ ③=몫① ㉠세 사람 분. 열 명 분. ⑤('분의'로 쓰이어) '몇 부분으로 나눈 가운데의'를 나타냄. ㉠3분의 1. 십분의 이.

보지락 농촌에서 빗물이 땅속에 스며들어간 깊이가 땅을 가는 데 보습이 들어갈 만큼만 된 정도로서 비가 내린 분량을 헤아리는 단위. ㉠봄비가 한 보지락 멋지게 내렸다.

승⁷(升)=되¹②. '되의' 뜻은 가루, 곡식, 액체 같은 것의 분량을 헤아리는 단위. 한 말을 열로 나눈 그 하나 또는 열 홉이 한 되가 된다. ㉠밀가루 한 되. 석 되의 쌀. 몇 되의 석유. 回됫박. ㉠가루 곡식, 액체 같은 것을 가리키는 명사 아래 쓰이어 '다소의 되'를 나타낸다. ㉠좁쌀 되나 팔았다.

잎² 명주실 한 바람.

작(勺) 분량의 단위. 한 홉의 10분의 1을 나타내는 단위.

제(劑) 탕약 스무 첩 또는 그만한 분량으로 지은 한약이나 고약의 양을 단위로 일컫는 말. ㉠보약 한 제. 탕약 다섯 제. 몸에 사물탕이 좋다고 하여 두어 제 지어 먹었다. ㉠이 말을 단위로 쓰는 명사 아래에 쓰이어 '약간 수의 제'의 뜻을 나타낸다. ㉠보약제나 자시면 효험이 있을 것입니다.

치 일정한 몫. ㉠하루 치 양식. 몇 달 치의 일거리. 세 사람 치의 일삯.

턱 ①=템 ㉠거리가 한 백리 턱은 된다. 한 시간 턱을 기다렸다. 밥을 반 그릇 턱이나 비웠다. ②주로 관형사 '그' 다음에 쓰이어 '일이 되어 가는 정도나 상태'의 뜻을 나타낸다. ㉠만날 그 턱이지 뭐 다를 게 있나.

템 수량을 나타내는 말 다음에 조사 '이나'와 함께 쓰이어 '어떤 수량에 이르는 정도'의 뜻을 나타낸다. ㉠두 달 템이나 걸리다니. 한 섬 템이나 먹는다. 回턱⁵①.

파(把)=줌④ '줌'의 뜻은 한 주먹으로 쥘 만한 분량의 단위. ㉠한

줌의 흙이지만 나에겐 의미가 크다.

판[6](版) 책 따위에 쓰이는 종이의 크기를 나타내는 말. ㉥무슨 판으로 책은 찍는가? ㄱ흔히 접미사처럼 쓰이기도 한다. ㉥사륙판. 사륙배판.

홉[2] 물건을 되어서 헤아리는 것의 단위. 한 되의 10분의 1에 해당한다.

가마[1] 갈모. 쌈지 따위를 셀 때 백개를 단위로 일컫는 말. ㉥한 가마. 세 가마.

거리[4] 오이, 가지 따위의 수효를 셀 때, 50개를 단위로 일컫는 말. ㉥오이 한 거리. 가지 세 거리.

강다리[3] 쪼갠 장작을 셀 때. '백 개비'를 일컫는 단위. ㉥한 강다리하고 반이니 모두 백 쉰 개비가 된다.'

리(厘/釐) ①무게 단위에서 10분의 1푼. ②돈 단위에서 10분의 1전. ③길이 단위에서 '분'의 10분의 1.

8. 헤아리는 수 단위의 의존명사

가닥² ①한 군데에 딸린 각 줄. ㉠가닥이 나다(지다). 여러 가닥으로 꼰 참바

②①의 수를 세는 단위. ㉠한 가닥. 두 가닥. 비교⁵

③빛이나 물 흐름 따위의 줄기. ㉠한 가닥의 햇살. 한 가닥의 희망.

가지⁶ 사물의 성질이나 특성에 따라 따로따로 구별되는 낱알을 단위로 일컫는 말. ㉠한 가지 문제. 여러 가지 일.

㉠이 단어를 단위로 명사 아래에 쓰이어 '몇몇 가지의 뜻'을 나타낸다. ㉠반찬 가지나 장만하여 차린 음식상.

거리² 무당의 굿이나 춤의 한 장면을 단위로 일컫는 말. ㉠춤 한 거리.

교⁴(校) 인쇄 교정의 번수를 나타내는 말.

교⁵(絞)=가닥². ㉠삼 교. 오 교.

기¹¹(基) ①무덤, 비석, 탑 따위를 세는 단위.

② 원자로, 유도탄 따위를 세는 단위.

기¹²(騎) 말을 탄 사람의 수를 세는 단위.

님² 바느질 소용으로 토막 친 실을 세는 말.

닢(닙) ①돈이나 가마니, 멍석 따위와 같은 납작한 물건의 낱낱을

세는 말. ㉠엽전 한 닢. 돗자리 두 닢. 멍석 한 닢.

②수[17]①=시나 노래를 세는 단위. ㉠시 한 닢. 노래 두 닢.

당(當) 주로 단위를 나타내는 명사 뒤에서 그 명사가 가리키는 '사물 하나하나 앞'의 뜻을 나타냄. ㉠땅이 평 당 얼마나 합니까? 머리 당. 근 당. 호 당. 일 당.

대[9](臺) ①자동차, 비행기 또는 기계 따위를 세는 단위 ㉠자전거 한 대. 비행기 두 대. 윤전기 한 대.

②수 액수 따위를 뜻하는 말. 아래에 붙어서 '그 대체의 범위'를 나타내는 말. ㉠백억 대의 재산가

두(頭)=마리 ㉠소 20두. 말을 몇 두나 기르시오?

리(厘) 십진법에서 1,000분의 1을 일컫는 말.

량(輛) 열차의 차량의 수를 단위. ㉠화차 삼십 량.

마리[2] 동물을 세는 단위.

  ㉠네 발 짐승을 셀 때 ㉠토끼 두 마리. ㉫두[5]. 필[3].

  ㉡날짐승을 셀 때 ㉠참새 한 마리. ㉫수[17].

  ㉢ 물고기나 벌레를 셀 때 ㉠조기 세 마리. 개미 한 마리.

  ㉣ 이 말을 단위로 쓰는 명사와 함께 쓰이어 '약간의 그 것'을 나타냄 ㉠붕어 마리나 잡았다.

마리[3] ≪옛≫ 시의 편수를 세는 단위

명(名) 숫자 아래에 붙여서 사람의 수효를 나타내는 말

모[7] 두부, 묵 따위의 덩이를 세는 단위. ㉠두부 한 모. 묵 두 모.

모[8](毛) 십진법에서 10,000분의 1을 일컫는 말.

문(文) 신발 치수의 단위.

문(問) 포나 기관포 따위를 세는 단위 .㉠대포 다섯 문.

발[8](發) ①=방[8]①. ㉠총 한 방. 몇 방의 박격포.

②비행기 같은 것에 장치되어 있는 발포기의 수를 나타내는 단위. ㉠4발 비행기

방[8](放) ①총포를 쏘거나 남포 따위를 터트리는 수의 단위. ㉠총을 한 방 놓았다. 남포가 서너 방 터졌다. ㉤발[8].

②주먹 따위를 때리는 수. ㉠주먹 한 방에 나가 떨어졌다.

③방귀를 뀌는 수.

배(杯) 술이나 음료의 잔 수를 세는 단위. ㉠일 배 일 배 부일 배.

보[11] 저담이나 웅담 따위를 세는 단위. ㉠웅담 두 보. 산저담 세 보. 얼음 상자에서 양 한 보를 꺼내어 소금을 뿌려서 거피를 내고 이겼다.

본(本) 영화 필름의 한 편을 세는 단위. ㉠필름 한 본만 복사하였다.

분[8] ②사람을 세는 단위. ㉠두 분. 손님 몇 분

살(C설/C셜) ①나이를 세는 말 ㉠한 살 두 살

②잠[1]②.

새[7] 피류의 날을 세는 단위. 날 실 여든 올을 한 새로 친다. ㉤승[8]

성(成) 환금의 순도를 나타내는 단위 이름. 순수한 정도를 십 등분 하여 십 성이면 순금이라 한다.

수[1](首) ①시나 노래를 세는 단위. ㉠시 한 수. 시조 다섯 수.

②=마리[2]①ㄴ. ㉠닭 이십 수.

승[8](升)=새[7] ㉠7새 베. 9새 베.

연[11](連⊂영.ream) 양지 백장의 단위. ㉠한 연. 두 연.

영[8](영) 가죽 따위를 세는 단위 이름. ㉠호피 일 영. 양피 세 영.

영[9](齡) 누에의 나이를 세는 단위 이름. 잠과 잠 사이.

위(位) 신주 또는 위패에 모신 신의 수효를 셀 때에 쓰는 말. ㉠법당 에 모셔져 있는 세 위의 큰 불상.

잎² ①명주실 한 바람.

②→ 닢.

장(張) ①종이나 유리 따위의 얇고 넓적한 물건을 세는 데 쓰는 말.
 ㉠김 석 장. 유리 두 장. 종이 일곱 장. 囲매⁷.

②활을 세는 단위.

③접미사처럼 쓰이어 '얇고 넓적한 물건의 조각'의 뜻을 나타
낸다. ㉠백지장. 종잇장.

자루³ 이긴 물건을 세는 단위. ㉠연필 열 자루. 총 두 자루. 囲정¹³.

정(梃)=자루³.

족족 '하나하나마다'의 뜻. ㉠보는 족족 잡아라. 가는 족족 정들여
놓았다. 오는 사람 족족 다 그 모양이야.

좌⁴(座) 집, 불상, 거울 따위의 일정한 물체를 세는 단위. ㉠한옥
1좌. 불상 1좌.

채⁷ ①집의 덩이를 세는 단위. ㉠오막살이 한 채. 기와집 세 채.
 囲동⁹.

②큰 기구 따위를 세는 단위. ㉠가마 한 채. 상여 두 채. 수레
몇 채.

③ 이불 따위를 세는 단위. ㉠이불 두 채.

④인삼 백근을 단위로 일컫는 말. ㉠두세 채의 인삼.

척(隻) 배의 수효를 세는 단위. ㉠배 두 척. 군함 몇 척.

초(秒) ①한 시간을 삼백육십 도막으로 고르게 나누었을 때 그 나누
어진 하나하나의 시간 길이를 헤아리는 단위. ㉠일 분 일 초.

②각도 일도를 삼백 육십으로 고르게 나누었을 때 그 나누어
진 하나하나의 각도를 헤아리는 단위.

추²(錘) 방추의 수를 나타내는 단위. ㉠백 추.

축[8] 오징어 스무 마리의 단위. 요즈음은 열 마리로 한다. ㉔오징어
　한 축.

축[9](軸) ①책 스무 권을 기준으로 하여 세는 단위.
　②한지는 열 권, 두루마리는 하나를 기준으로 하여 종이를 세는
　단위.
　③예전에 과거를 볼 때 답안 열장을 하나로 묶어 세는 단위.

치[7] 한 자의 10분의 1에 해당하는 단위. ㉔한 자 세 치. 한 치의
　땅. ㉂촌.

쾌[3] ①북어 스무 마리를 한 단위로 세는 말. ㉔북어 한 쾌. ㉠단위로
　쓰는 명사와 함께 쓰이어 몇몇 수의 그것을 나타낸다.
　②전날에 엽전 열 꾸러미 곧 열 냥을 한 단위로 세는 말. ㉂관[14]
　㉠이 말을 단위로 쓰는 명사 아래에 쓰이어 '약간의 쾌'를 나
　타낸다. ㉔엽전 쾌나 가졌다.

타[2](打)=다스 ㉔연필 한 타. 양말 두 타.

탕[3] 어떤 일의 횟수를 나타낸다. ㉔오늘은 운행을 열 탕이나 했다.

테[2] 서려 놓은 실의 묶음을 세는 말. ㉔한 테. 두 테

톳[2] 김 따위의 마흔 장 또는 백 장을 한 묶음으로 세는 단위. ㉔김
　한 톳. ㉂속[6]
　㉠이 말을 단위로 쓰는 명사 아래에 쓰이어 약간의 그것을
　나타낸다. ㉔김 한 톳이나 샀다.

통[11](通) 서류나 편지를 세는 단위. ㉔한 통의 편지. 호적초본 세
　통. ㉠이 말을 단위로 쓰는 명사 아래에 쓰이어 '몇몇의 통'의
　뜻. ㉔그에게서도 편지 통이나 받았다.

평[2](坪) ①여섯 자 평방으로 땅의 면적을 재는 단위. ㉔논 백 평.
　열 평의 대지. ㉂보[12]③.

②여섯 자 입방으로 입체를 재는 단위.

③한 자 평방으로 헝겊, 유리, 벽 따위를 재는 단위.

④한 치 평방으로 조각 구리판 따위를 재는 단위.

⑤=조짐^2.

편(篇) ②시문 따위를 세는 단위. ㉎시 다섯 편과 수필 두 편. 몇 편의 논문.

9. 추상적인 뜻의 의존명사가 문맥에 따라 분명한 뜻을 나타내는 의존명사

것(겆) ①관형격 조사 '의'나 관형사, 관형어 따위의 아래에 쓰이어 그 물건, 일(사실), 현상, 성질 따위를 나타내는 말. ㉠남의 것. 뉘 것이냐? 새것과 헌 것. 아름다운 것. 시키는 것. 책임 진 것. 먹을 것과 입을 것. 취할 것과 버릴 것. 줂거¹. ㉠그렇고 그런 거야.

②관형어나 대명사 따위의 아래에 쓰이어 그 사람을 낮잡아 가리키는 말. ㉠젊은 것들. 너 같은 것이. 그까짓 것이 뭘 안다고. 줂거¹.

③관형어 아래에 쓰이어 '확신'이나 '추측'을 나타낸다. ㉠그는 꼭 올 것이다. 내일 날씨는 좋을 것이다. 고생 끝에 복을 누리는 것이다. 줂거¹.

④주로 글말에서 '-ㄹ꼴' 관형어 아래에 쓰이어 명령을 나타낸다. ㉠위험! 가까이 오지 말 것.

겸(兼) ①두 명사 사이에 쓰이어 그 명사들의 내용이 어우러짐을 나타내는 말. ㉠사무실 겸 가정집. 아침 겸 점심. 부총리 겸 경제기획원장관.

②어미 'ㄹ(을)' 아래나 '기' 아래에 쓰이어 그 일들을 나타내

는 말. ⑩뽕도 딸 겸, 임도 볼 겸. 놀 겸, 견학도 할겸 우리는
여행을 떠났다.

김 어떤 기회나 바람. ⑩만난 김에 내 부탁도 해 주렴. 온 김에 만나
보자. 하던 김에 이 일도 해 치우자.

나마 =남짓('이상'의 뜻). ⑩한 시간이나마 걸렸다.

나름 명사나 동사 밑에 쓰이어 됨됨이 또는 하기에 달림을 나타내
는 말. ⑩사람 나름. 물건 나름. 보기 나름. 먹을 나름. 자기
나름대로의 기준. 내 나름의 견해. 사람도 사람 나름이죠. 네
나름대로 하라.

대로 그 이끄는 짜임새를 부사어로만 되게 하는 의존명사의 하나.
①'그 상태로'의 뜻. ⑩놓인 대로 두어라. 본 대로 느낀 대로
쓸 것.
②'하는 바와 같이'의 뜻. ⑩말씀하신대로 저도 그렇게 생각합
니다.
③'~을 좇아서, ~하는 데 따라'의 뜻. ⑩시키는 대로 하겠다.
④'하는 족족'의 뜻. ⑩보는 대로 사 달라고 한다. 주는 대로
다 받아먹었다.
⑤용언의 관형형 다음에 쓰이어 '만큼'의 뜻을 나타낸다. 특
히 '-ㄹ/-을/-ㄴ/-는/-은' 꼴 뒤에서는 '만큼'보다 센 뜻을 나
타내기도 한다. ⑩되는 대로 하시오. 하고 싶은 대로 다 해
보았다. 좋은 대로 하시오.

데 ②'경우'나 '처지'를 나타내는 말. ⑩배 아픈 데에 잘 듣는 약.
일이 이렇게 된 데는 네게도 책임이 있다.
③'일'이나 '것'의 뜻을 나타내는 말. ⑩그를 설득하는 데에 며
칠이 걸렸다.

둥 ①용언의 관형사형 '-ㄴ/-는/-은/-ㄹ/-을' 아래와 주로 '말다'
   의 관형사형('마는', '만', '말') 아래에 '-둥, -둥' 꼴로 거듭
   쓰이어 '것 같은'의 뜻을 나타낸다. ㉔보는 둥 마는 둥 했다.
   갈 둥 말 둥. 좋은 둥 만 둥.
   ②'-는 둥'으로 거듭 쓰이어 '이렇게 한다거니 저렇게 한다거
   니' 또는 '이렇다거니 저렇다거니'의 뜻을 나타낸다. ㉔가겠
   다는 둥 안 가겠다는 둥. 둥굴다는 둥 모 났다는 둥 서로 생각
   이 달랐다. 믿을 만한 사람이라는 둥 아니라는 둥 말들이 오
   갔다.
둣 ①'추측'의 뜻을 나타낸다. ㉔바람이 부는 듯 전선이 울고 있다.
   ②'거짓으로 꾸며져 있음'의 뜻을 나타낸다. ㉔퍽 겸손한 듯
   행동하지만 잘 아는 듯 이야기를 한다.
   ③듯 - 하다. ㉔비가 올(오는, 온) 듯 하다. ㉒-듯 싶다. '땀이
   비 오듯 하다'에서 동사의 어간 다음에 '-듯'이 쓰이어 비유
   의 의미를 나타낼 때의 '-듯'은 어미이다. 이 때 '-듯'은 뒤에
   오는 '하다'와는 별개의 단어이므로 띄어 쓴다. '듯이'는 '듯'
   의 힘줌말. ㉔부러운 듯이 바라본다.
따름 관형사형 '다음'으로 된 용언 아래에 쓰이어 '오로지 그것'의
   뜻을 나타낸다. ㉔그저 웃기만 할 따름이다. 진리는 하나만
   있을 따름이다.
따위 ①다름 말 아래에 쓰이어 '그와 같은 종류'의 뜻을 나타냄.
   ㉔두부, 콩나물 따위의 찬거리를 샀다.
   ②그런 따위 말하는 대상을 하찮게 일컫는 말. ㉔네 따위가
   뭘 안다고. 이 따위를 어디다 쓴담. 두려움 따위는 없다. 철수
   따위는 상대도 안한다. 일을 이 따위로 밖에 못하겠니?

리⁵(理) 씨끝 '르'다음에 '있다', '없다' 따위와 함께 쓰이어 '까닭', '이치'의 뜻을 나타내는 말. ⑩그럴 리가 있나? 오르고 또 오르면 못 오를 리 없건마는…. 있을 리 없다.

만⁵ ①명사나 동사의 '-르/-을' 아래에서 '그 정도에 이를'의 뜻을 나타낸다. ⑩나의 재주가 너 만(이야) 못하랴? 짐승 만도 못한 사람.

②동사의 '-르/-을' 아래에 쓰이어 그렇게 할 '값어치 있음'을 나타낸다. ⑩한 번쯤 볼 만도(은, 이야) 한데.

③-만하다 ⑩밥을 먹을 만한 나이.

만큼¹ ②(용언의 '-ㄴ/-는/-은' 꼴 뒤에 쓰이어) 까닭이나 근거를 나타낸다. ⑩질이 좋은 만큼 싸겠지. 아는 만큼 가르쳐 주지. ⑪만치¹

망정 '-기에', -니', '-니까', '-아(서)', '-이야' 따위의 다음에 '망정이지'로 쓰이어 '괜찮거나 잘 된 일'의 뜻을 나타낸다. ⑩급히 왔기에 망정이지 하마터면 큰일 날 뻔했다. 마침 돈이 있었으니 망정이지 안 그랬으면 영락없이 남의 손에 넘어가는 거였다.

머리² ②일의 한 차례나 한 판. ⑩한 머리 싸움이 지나고 산골짝엔 다시 **뻐꾸기** 소리가 퍼졌다.

③한 쪽 옆이나 한 쪽 가장자리. ⑩배추를 한 머리에서 뽑고 한 머리에선 손질을 하였다. ㄱ 뒷가지처럼 쓰이기도 한다. ⑩논머리. 밭머리. 상머리.

④어떤 철이나 때가 시작되는 무렵. ⑩새벽 머리. 삼복 머리. 해질 머리. 음력 칠월 초순 머리.

며리 '-ㄹ'꼴 관형어 다음에 쓰이어 '까닭'이나 '필요'의 뜻을 나타낸다. ⑩시비를 따질 수도 있겠지만 그럴 며리가 도무지 없다.

폐를 끼칠 머리가 없지 않은가?

바⁴ ①용언의 관형사형 '-ㄴ/-은/-는'과 '-ㄹ/-을', '던' 다음에 쓰이어 앞 말의 그 내용(사실)이나 일 따위를 나타내는 말 ㉠내가 본 바를 말하겠다. 말하는 바에 따라. 우리가 할 바가 무엇이냐? 내가 생각하던 바와는 다르다.

②'방법'을 나타낸다. ㉠어찌할 바를 모르겠다.

③주로 '-에'로 쓰이어 '기회', '경우' 따위를 나타낸다. ㉠여기까지 온 바에 그를 만나지 않을 수 없다. 고생을 하는 바에 좀 더 견딥시다. 이왕 늦은 바에 더 놀다 가렴. 거기에 갈 바에는 이것을 가지고 가지. 어차피 매를 맞을 바에는 먼저 맞겠다.

바람³ ①어떤 일에 더불어 일어나는 기세. ㉠술 바람에 할 말을 다 했다.

②용언의 관형사형 '-ㄴ/-은/-는' 다음에 쓰이어 '원인'이나 '근거' 등을 나타내는 말. ㉠모두 웃는 바람에 잠시 어리둥절했다.

③어떤 기세나 기운이 일어나는 짧은 동안. ㉠단 바람으로 집에까지 달려 왔다.

④몸에 차려야 할 것을 차리지 않고 있는 행색. ㉠저고리 바람으로 나들이를 할 수는 없소. 버선 바람으로 달려 나갔다.

배⁸ '바이'의 준말로 '바가'의 뜻. ㉠그들이 무어라 말하든 내 알 배 아니다.

부¹¹(附) 날짜를 나타내는 말 다음에 쓰이어 그 날짜로 발행되거나 효력이 발생된 것임을 나타냄. ㉠3월 1일 부 신문. 오늘 부로 과장직에 임명한다. 내일 부로 사표를 내겠다.

뿐¹ ①용언의 '-ㄹ/-을/' 꼴 아래에서 '다만 그리하거나 그렇게 할

따름'이라는 뜻을 나타냄. ㉎좋을 뿐 아니라 값도 싸다. 들었
을 뿐이고 보지는 못했다.

②서술형어미 '-다' 아래에 쓰이어 '오직 그렇게 하거나 그러
하다는 것만 한정함'을 나타낸다. ㉎왔다 뿐이지 볼 수가 없
었다. 돈만 없다 뿐이지 다른 것은 다 갖춘 신랑감이다.

사[8](事) 지시, 명령, 경고 따위의 글에서 용언의 '-ㄹ/-을' 관형사형
에 이어 '일' 또는 '것'의 뜻을 나타냄. ㉎면회인은 반드시 수
위실을 경유할 사. 규장각을 혁파할 사.

살[5] ①나이를 세는 말. ㉎한 살. 두 살. ②→잠[2].

성[8] 용언의 관형사형 '-ㄴ/-은/-ㄹ/-을/ㄴ/-는' 아래에 '싶다' 따위
와 함께 쓰이어 '것 같다'의 뜻을 나타낸다. '-ㄹ/-을' 아래에
서는 '가능성'의 뜻을 띠기도 한다.

[보형] [여 불]성하다. ㊖성싶다.

손[8] 주로 용언의 끝 '-다'와 관형사형 '-ㄹ'의 아래에 '셈'의 뜻으로
쓰이는 말. ㉎철이 없다 손 치더라도. 그대로 흐지부지 넘긴
다. 손 치자. 못 만날 손 치더라도.

양 ①용언의 관형사형 '-ㄴ/-은/-는' 아래에 쓰이어 '모양, …처럼'
의 뜻을 나타낸다. ㉎마치 학자인 양으로 말한다. 아는 것도
모르는 양(을) 했다.

②용언의 관형사형 '-ㄹ/-을' 아래에 쓰이어 '하고자 하는 생
각'의 뜻을 나타낸다. ㉎데려갈 양으로 한다. 공부를 할 양이
면 마음을 가다듬어야지. 양-하다. [보형] [여불]①. ㉎돈이 있
는 양했다. 다정도 병인 양하여 잠 못 들어 하노라.

장(張) ①종이나 유리 따위의 얇고 넓적한 물건을 세는 데 쓰는 말.
㉎김 석 장. 유리 두 장. 종이 일곱 장. ㊖매[7].

②활을 세는 단위.

③접미사처럼 쓰이어 '얇고 넓적한 물건의 조각'의 뜻을 나타낸다. 예백지장. 종잇장.

저⁴(著) 저술, 저작의 뜻. '지음'으로 순화.

조(條) ①'조목'이나 '조항'의 뜻. 예헌법 제1조.

②어떤 조건. 예집을 계약하는 조로 20만 원을 주었다. 상금 조로 받은 돈.

줄⁴ '-ㄴ/-ㄹ' 관형사형 아래에 쓰이어 '사실', '방법', '셈속' 따위를 나타냄. 예먹을 줄 안다. 그런 줄을 몰랐다. 그는 이것을 자기 것이라 할 줄밖에 모른다.

지(指) '손가락'을 뜻하는 말. 한자어의 수 밑에 쓰인다. 예십 지 안에 든다.

집(輯) 이시나 문장 따위를 엮어 낸 차례의 책.

차 동사의 '-던' 꼴 다음에 쓰이어 그러한 '기회'의 뜻. 예떠나려던 차에. 심심하던 차였는데 잘 오셨습니다.

착(着) 땅이름이나 시간을 나타내는 말 뒤에 쓰이어 '다다름'의 뜻. 예김포공항 착. 15일 착. 12시 착. 凹발⁹.

채 ①용언의 '-은/-는' 뒤에 쓰이어 어떤 상태 '그대로'의 뜻 예꿩을 산 채로 잡았다. 앉은 채로 잠을 잤다.

②째 〈평북〉

척⁴=체 예모른 척 딴전만 부린다. 꽤나 잘난 척을 한다. 척-하다. [보형] [여불] 예한 잔 술에 취한 척한다.

척⁵(尺)=자¹②.

치⁵ ②어떤 곳에 있거나 어떤 것에서 나는 물건. 예속의 치. 옛날 치. 사과는 대구 치가 좋다.

치[6] 일정한 몫. ㉮하루 치 양식. 몇 날 치의 일거리. 세 사람 치의 일거리.

터 ①동사나 형용사의 끝 'ㄹ' 뒤에 쓰이어 '예정'이나 '추측'의 뜻을 나타내는 말. ㉮내가 갈 터이다. 그것이 좋을 터이다.

②동사나 형용사의 끝 '-ㄹ' 뒤에 쓰이어 '형편'이나 '처지'의 뜻을 나타낸다. ㉮세끼를 굶은 터에 찬밥 더운밥을 가리겠느냐?

턱[5] ①=템. ㉮거리가 백 리 턱은 된다. 한 시간 턱을 기다렸다. 밥을 한 그릇 턱이나 비웠다.

②주로 관형사 '그' 다음에 쓰이어 '일이 되어가는 정도나 상태'의 뜻을 나타냄. ㉮만날 그 턱이지 뭐 다를 게 있나.

테 의존명사 '터'에 '이'가 합치어 줄어진 말. '-ㄹ' 관형어 아래에 쓰이어 '작정'이나 '예정'의 뜻을 나타냄. ㉮나도 갈 테다. 할 테면 해 봐.

통 ①주로 체언 아래에서 '통에'로 쓰이어 어떤 일이 벌어진 판국이나 기회. ㉮난리 통에 온갖 고생을 하고, 싸움 통에 끼이다. 장마 통에 농작물이 잠겼다. 그 통에 깜짝 놀라 잠을 깨기는 하였지만. ≪유치진 원술랑≫

②용언의 '-ㄴ/-은/-는' 꼴 아래에 '통에'로 쓰이어 '까닭', '근거' 따위를 나타냄. ㉮누가 고함을 지르는 통에 잠이 깨어 버렸다. 사람이 많은 통에 그를 만날 수가 없었다.

판(版) 책 따위에 쓰이는 종이의 크기를 나타내는 말. ㉮무슨 판으로 책을 찍는가? ㊀흔히 접미사처럼 쓰이기도 한다. ㉮사륙판, 사륙 배판, 신국판.

편[5](便) 사람이 오고가거나 물건을 부쳐 보내는 데에 이용하는 기회나 수단. ㉘자동차 편. 비행기 편. 그 사람 편에 보냈다. 내려가는 기차 편을 이용하였다.

편[6](篇) ①책 속에서 같은 분야나 갈래 끼리 크게 가른 한 부분. ㉘그 문학 전집은 소설, 시, 희곡 등 다섯 편으로 되어 있다.

편[7](編) 사람이나 단체 이름 아래에서 '편찬'의 뜻. ㉘교육부 편 국어 교과서.

폭 ①'-은/-는' 관형사형으로 된 용언 다음에 쓰이어 '그러한 종류에 딸린 것'의 뜻을 나타냄. ㉘열차도 안전한 폭이긴 합니다. 그이도 술을 좀 먹는 폭이지요.

②두 일을 견주어 놓고, 좋고 나쁨을 가리는 말에서 '이', '그' 또는 '-는' 관형사형으로 된 동사 다음에 형용사와 더불어 쓰이어 '그러한 일의 쪽'의 뜻을 나타냄. ㉘섣불리 아는 것보다 모르는 폭이 낫다. 차라리 그 폭이 좋겠군요.

③'-은/-는' 관형사형으로 된 동사 다음에 쓰이어 '그렇게 헤아리거나 인정하는 쪽'의 뜻을 나타낸다. ㉘안 먹었어도 먹은 폭으로 치자. 다시 태어난 폭 잡고…. 날짜로 치면 이틀은 걸린 폭이다. 일종의 비상경계령이 내려진 폭이 되었다.

④'정도'나 '수량'을 뜻하는 말 다음에 쓰이어 '그러한 정도에 해당하는 크기'의 뜻을 나타냄. ㉘키가 나의 절반 폭밖에 안된다. 사과를 네 개 폭은 먹었다.

품 '-ㄴ /-는' 관형사형 동사 아래에 쓰이어 그 '동작이나 됨됨이'의 뜻을 나타냄. ㉘서두르는 품이 퍽 다급했나 보다. 말하는 품을 보니 여간 아니겠다. 생긴 품이 말이 아니다.

해[6] 사람을 나타내는 명사 다음에 쓰이어 '것'의 뜻으로 '소유'를 나타내는 말. ㉘내 해. 네 해. 뉘 해.

10. 차례의 뜻을 나타내는 의존명사

대(代) 세대나 지위의 차례를 세는 단위. 이 '대'는 나로부터 위로 조상 쪽으로 거슬러 올라가면서 차례를 헤아릴 때 쓰는데 '나'는 포함되지 않는다. 예를 들면 '나의 4대조'라고 하면 '아버지→할아버지→증조부→고조부'로 되는데 '고조부'가 나의 4대조가 된다.

물⁵ ②농산물이나 해산물 따위가 얼마 동안의 사이를 두고 한 목 한 목 무리로 나오는 차례.

③누에 슬어 놓은 차례.

바탕² ②어떤 일의 한 차례. ㉠씨름을 몇 바탕 했으나 모두 지고 말았다. 장기를 한두 바탕 두다가 그만 싸움이 벌어졌다.

세(世) 가계나 지위의 차례를 나타내는 단위의 하나.

㉠3세 손. 4세 손. 나폴레옹 3세. 록펠러 2세.

이 '세'는 조상으로부터 아래로 내려오면서 차례를 셀 때 쓰는 말인데 '나'를 포함해서 차례를 나타내어야 한다. 예로 '3세 손' 하면 '할아버지→ 아버지→ 나' 이렇게 해서 '나'는 '할아버지 3세 손'이 된다.

홰 새벽에 닭이 홰를 치고 우는 차례를 세는 말. ㉠닭이 세 홰 째 운다. 홰를 치다. 새 따위가 날개를 벌리고 탁탁 치다.

회(回) 한자말 수사 아래에 쓰이어 돌아오는 차례를 나타내는 말
　㈎제1회. 제5회. 발표회.

11. 약간의 뜻을 나타내는 의존명사

가지 '가지'를 단위로 쓰는 명사 아래에 쓰이어 '몇몇 가지의 뜻'을 나타냄. ㉠반찬 가지나 장만하여 차린 음식상.

근(斤) 600g에 해당하는 재래의 무게 단위. 375g을 기준으로 하기도 한다. ㉠이 말을 단위로 쓰는 명사 아래에 쓰이어 '약간의 근'의 뜻을 나타냄. ㉠고기 근이나 사야지.

나마² =남짓 ㉠반년 나마의 멀고 고된 길이었지만…. 한 시간 나마를 뒤진 뒤에….

남짓 어떤 수량에 차고 조금 남는 정도. ㉠서 되 남짓. 한 달 남짓. 스무 살 남짓. 열 개 남짓. ㉠나마².

냥 '돈'을 뜻하는 명사 뒤에 곧바로 쓰이어 '약간의 냥'의 뜻을 나타냄. ㉠돈 냥이나 만진다.

마리 '마리'를 단위로 쓰는 명사와 함께 쓰이어 '약간의 그것'을 나타냄. ㉠붕어 마리나 잡았다.

마지기 이 말을 단위로 쓰는 명사 아래에 쓰이어 '약간의 마지기'를 나타냄. ㉠거기에는 논 마지기나 가지고 있다.

매(枚) 이 말을 단위로 쓰는 말과 함께 쓰이어 '약간'의 뜻을 나타냄. ㉠종이 매나 가지고 있다.

제(劑) 이 말을 단위로 쓰는 명사 아래에 쓰이어 '약간의 수의 제'의 뜻을 나타낸다. ㉑보약제나 자시면 효험이 있을 것입니다.

쾌 ①이 말을 단위로 쓰는 명사 아래에 쓰이어 '약간의 쾌'를 나타
낸다. ㉑엽전 쾌나 가졌다.

②단위로 쓰는 명사와 함께 쓰이어 '몇몇 수의 그것'을 나타
낸다. ㉑북어 쾌나 샀다.

푼 이 말을 단위로 쓰는 명사 아래에 쓰이어 '약간의 푼'을 나타낸
다. ㉑돈 푼이나 있다고 거들먹거린다. 위에 낱말 이외에도
단위로 쓰이는 말은 대개 위와 같이 쓰이는 일이 많다. 예를
들면 '마지기', '통(通)', '톳', '타(打)=다스', '칸- 집 칸이나 마
련했나?', '채- 집 채나 가지고 있나?', '축(軸)- 종이 축이나
팔렸나?', '척(隻)- 배 척이나 가졌다고 까분다.', '연(連)- 종
이 연이나 있나?', '살=나이 살이나 먹었나?', '손-고기 손이
나 샀다.', '되-곡식 되나 있나?', '잔^2- 술 잔이나 마셨나?',
'모- 두부 모나 샀나?', '권(卷)- 책 권이나 있나?' 등이다.

12. 도수(度數)의 의존명사

도(度) ①《수》 각도의 단위. 보통 숫자 어깨에 °를 두어 나타낸다.
  ⑩90°, 360° 따위.
  ②《지》 경도, 위도의 단위.
  ③《물》 순도의 단위. ⑩섭씨 100도.
  ④《악》 음정을 나타내는 단위. ⑩완전 5도. 감 3도.
  ⑤횟수를 세는 말. ⑩4도 인쇄.
  ⑥《화》 경도, 비중, 농도를 나타내는 단위. ⑩30도 소주.
분[9](分) ②각도나 경위도에서 1도의 60분의 1을 나타내는 단위.
  ⑩30도 5분.
부[12](일 分)→분.
초(秒) ②각도 1도를 삼백육십으로 고르게 나누었을 때, 그 나누어
  진 하나하나의 각도를 헤아리는 단위.

13. 속도 및 거리 단위의 의존명사

리[1](里) 약 0.4㎞쯤 되는 거리의 단위.

리[3](哩) =마일. 거리를 나타내는 단위의 하나. 1마일은 대략 1.6㎞
쯤 된다. 영리[4] ㉠시속 60마일

리[4](浬) =해리[3]. 해상에서 거리를 나타내는 단위. 위도 1도의 60분
의 1, 약 1.85㎞에 해당한다. ⊞리[4]. ㉠오백 해리

마신(馬身) 경마에서 말 한 마리의 길이로써 재는 거리의 단위.
㉠2등을 한 말이 2마신 차이로 들어왔다.

보[12](步) ①주척으로 여섯 자 되는 길이를 단위로 하여 거리를 재는
단위.

②=걸음④ ㉠십 보 앞으로.

③=평[2]①.

영리[4](英里)=마일.

정(町) 거리의 단위. 간의 60배에 해당한다.

14. 정도의 의존명사

듯 용언의 관형사형 '-ㄴ/-은/-는/-ㄹ/-을' 아래에 쓰이어 '비슷
    하거나 같은 정도'의 뜻을 나타낸다. ㉑조는 듯 꾸벅거리고
    있다. 부러운 듯 바라보고 있다. 속이 타는 듯 했다.

만[5] 명사나 동사의 '-ㄹ/-을' 아래에서 그 '정도의 이름'의 뜻을 나
    타낸다. ㉑나의 재주가 너 만(이야) 못하랴. 짐승 만(도) 못한
    사람.

만치=만큼[1].

분[9](分) ⑤('분의'로 쓰이어) '몇 부분으로 나눈 가운데의'를 나타낸
    다. ㉑3분의 1.

15. 복수를 뜻하는 의존명사

들 ①앞에 들어 보인 사물 모두. ㉖김씨, 이씨, 박씨 들 세 분이 왔
　　다 가셨다오. ⽐등⁷①.

　　②앞에 들어 보인 사물과 같은 그 밖의 것이 더 있음을 나타
　　낸다. ㉖서울, 부산, 대구 등, 큰 도시에는 인구 문제가 심각하
　　다. ⽐등⁷①.

등⁷ ①=들². ㉖철수, 영수 등이 왔다.

　　②=등등

등등 여러 사물을 죽 들어 말하다가 그 밖의 몇몇을 줄임을 나타낸
　　다. 명사 뒤에나 어미 '-ㄴ' 뒤에 쓰인다. ㉖떡, 밥, 술 등등
　　무척 먹어댄다. 글도 짓고, 그림도 그리고, 노래도 하는 등등
　　재미있게 즐겼다. ⽐등⁷②

16. 나이를 뜻하는 의존명사

살[5](ㄷ셜/ㄷ셜) ①나이를 세는 말. ㉔한 살. 두 살.

　②→잠[1]②.

세(歲) 한자말 숫자 다음에 쓰이어 '살'을 나타내는 말.

　㉔금년 십오 세. 만 이십 세.

영(齡) 누에의 나이를 세는 단위 이름. 잠과 잠 사이.

하(夏) ≪불≫ 중이 된 뒤로부터의 나이를 셀 때에 쓰는 말. ㉔대교

　사는 법랍이 20하 이상이라야 함.

17. 곳 또는 처지와 경우를 뜻하는 의존명사

게 '살고 있는 곳'의 뜻. ㉔우리 게는 올해 풍년인데 자네 게의 농사
는 어떤가?

데 ①'곳'을 나타내는 말. ㉔깊은 데. 사는 데. 갈 데가 없다.
②'경우'나 '처지'를 나타낸다. ㉔배 아픈 데에 잘 듣는 약. 일
이 이렇게 된 데는 네게도 책임이 있다.

제3부

외래어로서 국어의 의존명사가 된 것들

여기서도 뜻에 따라 분류하여 설명하기로 한다.

1. 돈 단위 의존명사

랜드(영.rand) 남아프리카의 기본 돈 단위.

루불(러.rubl) 러시아 및 소련의 화폐의 기본 단위.

루피(영.rupee) 인도, 파키스탄, 스리랑카 화폐의 기본 단위.

리라(이.lira) 이태리의 기본 돈 단위.

센트(미.cent) 미국 돈의 단위 이름. 100cent가 1달러가 된다.
　　비선[11]=센트.

엔[2](일.yen C 円) ①일본 화폐 단위의 하나. '센'의 100배 비[10]
　　②. ①1953년 2월 15일에 시행한 화폐 개혁 이전의 돈 단위.
　　전의 100곱절 ②=엔[2].

페니(영.penny) 영국 돈의 단위. 1실링의 12분의 1이며 그 복수는
　　펜스라 한다.

페니히(도.pfennig) 독일 돈의 단위. 마르크의 100분의 1에 해당하
　　는 동전이다.

페세타(스.peseta) 에스파냐 돈의 단위.

펜스[2](영.pence) 영국 돈의 단위. '페니'의 복수

프랑(프.franc) 프랑스, 스위스, 벨기에의 돈 단위.

2. 힘, 압력 단위의 의존명사

가우스(도.gause) ≪물≫ 독일의 물리학자 가우스가 제창한 자속의
　　밀도를 나타내는 시지에스(C.G.S) 단위. 1전자 단위의 자기량
　　을 가지는 자속에 1다인의 힘을 미치는 세기이다.

그램중(영.gram重) ≪물≫ 표준 중력에서 1g 질량의 물체가 나타내
　　는 중력과 같은 힘의 단위. 980.665다인과 같다. 기호 g중 또
　　는 gw.

마이크로퀴리(c영.microcurie) 100만분의 1퀴리.

메가바(영.megabar) ≪물≫ ㎠에 대하여 100만 다인의 힘이 주어질
　　때의 압력 단위. 기상학에서는 이 압력을 '1바'로 한다.

밀리바(영.Millibar) 주로 기압을 재는 데에 쓰이는 압력의 단위. 1,0
　　00분의 1바. 기호는 mb 또는 mbar.

밀리볼트(영.millivort) ≪물≫ 1볼트의 1,000분의 1 볼트.
　　기호 mV.

밀리암페어(영.miliampere) ≪물≫ 1,000분의 1암페어.
　　기호 mA.

바[5](영.bar) ≪물≫ 압력의 절대 단위. 1㎠에 대하여 100만 다인의
　　힘이 작용할 때의 압력 단위.

킬로퀴리(⊂프.kilocurie) ≪물≫ 1,000전자볼트가 되는 방사능 단위.

킬로그램중(영.killogram重) ≪물≫ 힘의 단위. 1그램 중의 1,000배. 기호 Kgw, Kgf.

킬로볼트(영.kil Lovolt) ≪물≫ 1,000볼트를 나타내는 단위. 기호 kV.

킬로암페어(⊂영.kiloampere) ≪물≫ 1,000암페어를 나타내는 단위. 기호 kA.

킬로와트(영.kilowatt) ≪물≫ 1,000와트를 나타내는 단위. 기호 kk W. 囹킬로

킬로(그,영.kilo) 킬로와트, 킬로그램, 킬로미터의 준말.

킬로와트시(영.kilowatt-hour) ≪물≫ 1,000와트시를 나타내는 단위. 기호 kwh.

킬로전자볼트(영.kilo전자volt) ≪물≫ 1,000전자볼트를 나타내는 단위. 기호 keV.

킬로퀴리(⊂프.kilocurie) ≪물≫ 1,000전자볼트가 되는 방사능 단위.

3. 양 또는 단위의 의존명사

갈(프.gal) 가속도의 시지에스(C.G.S) 단위. $1cm/sec^2$.

갤런(영.gallon) 영국의 부피 단위로 기호는 gal, 약 $4.546l$이다. 미국의 1갤런은 $3.785l$이다.

그램칼로리(영.gramcalorie) 칼로리를 킬로그램칼로리에 대하여 일컫는 말.

그로스(프.grosse) 열두 다스 곧 백마흔네 개.

래드(영.rad) 물체에 쬔 방사선 분량의 단위. 방사선 종류에 관계없이 물체 1g에 100에르그를 받을 경우를 1래드라 한다.

럭스(영.lux) ≪물≫ 1촉광의 광원이 1m 거리에 있는 1㎡를 비치는 밝기의 단위. 기호 lx.

루멘(도.lumen) ≪물≫ 빛과 발(광속)의 단위. 1칼델라의 점광원을 중심으로 1m 반지름의 구면에 1㎡의 넓이를 비추는 빛다발.

리터(영.liter,litre) 미터법에서 1입방 데시미터, 곧 약 5홉 5작에 해당하는 들이의 단위. 기호 l 또는 lit.

림(영.ream) 양지를 세는 단위. 보통 480장인데 신문용지는 500장이다.

메가바이트(영.megabyte) 데이터의 양을 나타내는 단위의 하나. 1,024킬로바이트 또는 1,048,576 바이트. 기호 MB.

메가사이클(C프.megacycle) ≪물≫ 100만 사이클. 기호 M.C. ⓑ메가헤르츠

메가헤르츠(프.mega 도Hertz) ≪물≫ =메가사이클

메시(영.mesh) 쳇눈 또는 가루 알갱이의 크기를 나타내는 단위. 보통 1cm²에 뚫린 구멍의 수로 나타낸다.

모(mho) ≪물≫ 전기전도율의 실용 단위. 단면 1cm² 길이 1cm의 도체의 전기저항이 1Ω일 때에 그 물체의 전도율을 가리킨다. 'ohm'을 거꾸로 한 말로 기호도 ℧로 쓴다.

옴(도.ohm) ≪물≫ 전기저항의 실용 단위. 두 끝에 1볼트의 전위치가 있는 도선에 1암페어의 전류가 흐를 때, 그 도선이 작용하는 저항. 기호 Ω.

미크론(그.micron) 전기 음향의 파장 분자와 분자 사이의 거리. 미생물의 크기 같은 것을 재는 단위. 1mm의 1,000분의 1에 해당하며 기호는 'μ'로 나타낸다.

밀리뢴트겐(도.milliröntgen) 1,000분의 1뢴트겐.

밀리리터(영.millitre) 1,000분의 1리터. 기호 ml.

밀리몰(millimel) ≪화≫ 농도의 단위. 1,000분의 1몰.

밀리와트(milliwatt) 1,000분의 1와트. 기호. mW.

바이트(영.byte) =정보 단위.

센티리터(영.centiliter) 100분의 1리터. 기호 cl.

에이커(영.acre) 땅 넓이의 영국 단위. 약 4,047m².

와트시(영.watt時) ≪물≫ 전기에너지의 실용 단위. 1와트의 전력으로써 한 시간에 하는 일의 양.

와트초(미.watt秒) ≪물≫ 1와트의 전력으로써 1초 동안에 하는 일의 양.

줄(영.joule) ≪물≫ 일과 에너지의 절대 단위. 1천만 에르그를 1줄이라 한다.

칸델라(도.candela) ≪물≫ 광도의 단위. 1.769℃에서의 흑색 1㎠당 광도 60분의 1로서 1948년 국제도량형 총회에서 결정하였다. 기호 cd.

캘럿(영.carat) 금의 순도를 나타내는 단위. 순금을 24로 하고 24분의 1을 1캐럿이라 한다. 기호 k. kt.

쿼트(영.quart) 야드, 파운드 법에서의 양의 한 단위. 4분의 1갤런. 미국에서는 약 0.95l, 영국에서는 약 1.11l에 해당한다.

퀴리(프.curie) ≪물≫ 방사능 물질의 양을 나타내는 단위. 라듐 1g과 같은 방사능을 가진 질량이다. 기호 C.

킬로그램미터(영.kilogrammeter) 일의 단위. 1킬로그램의 물체를 높이 1미터 끌어 올리는데 필요한 양의 분량.

킬로리터(영.kiloliter) 1,000리터를 나타내는 단위. 기호 kl.

킬로바이트(kilobyte) 데이터의 양을 나타내는 단위의 하나. 1,024바이트를 말한다. 기호 Kb. 단이 단위가 기억장치의 용량을 나타내는데 사용되면 kb 대신 k를 사용한다.

킬로사이클(영.kilocycle) ≪물≫ 1,000사이클을 나타내는 단위.

킬로칼로리(C영.kilocaloie) 1,000칼로리를 나타내는 열량의 단위. 기호 cal, kcal. 비킬로그램칼로리.

킬로헤르츠(도.kilohertz) ≪물≫ 1,000헤르츠를 나타내는 단위. 기호 kHz.

쿨롬(프.coulom) ≪물≫ 전하량의 실용 단위. 1암페어의 전류가 1초 동안 운반하는 전하량이다.

텍스(프.tex) 실의 굵기를 나타내는 국제표준화기구 단위의 하나.

길이 1,000m의 무게가 1g이 되는 실의 굵기를 1텍스로 한다. 숫자가 작을수록 실이 가늘다.

톤(영.ton) 들이의 단위. 기차 화물은 100입방피트(약 2.783입방미터). 기선화물은 40입방피트(약 1.113입방미터). 기선의 짐 싣는 들이는 100입방피트(약 2.823입방미터)를 각각 1톤으로 하여 군함의 크기를 나타내는 배수량. 톤수는 영국, 톤수로 나타낸다.

폰(영.phon) 소리의 크기 단위.

피피엠(영.PPM. C parts per million) 농도의 단위로 1피피엠은 10^{-6} 이다.

헥타르(영.hectare) 100아르를 나타내는 단위. 곧 10,000㎡에 해당한다. 기호ha.

헥토리터(영.hectolitre) 100리터를 나타내는 단위. 기호 hl.

4. 무게 단위의 의존명사

그램(영.gram) 미터법에 따른 무게 단위. 4℃의 물 1㎤의 무게를
표준한다. 기호 g 또는 gr.

롱톤(영.longton) 영국에서 쓰는 톤 곧 2,240파운드(1016.1kg).

마이크로그램(영.microgramme) 백만분의 1g. 'Y'로 나타낸다.

메가톤(프.megatonne)티엔티 100만 톤의 폭발력과 같은 단위.
기호 Mt.

밀리그램(영.milligram) 1,000분의 1그램.
기호 mg.

센티그램(영. centigram) 100분의 1그램.
기호 cg.

캘럿(영.carat) 보석의 무게를 나타내는 단위. 약 205mg을 1캐럿이
라 한다.

퀸틀(영.quintal) 주로 곡물의 100kg에 해당하는 무게의 한 단위.

킬로(그,영.kilo) 킬로그램의 준말.

킬로그램(영.kilogram) 1,000그램을 나타내는 단위.
기호 kg. 준킬로.

킬로그램미터(영.kilogrammetre) ≪물≫ 일의 단위. 1킬로그램의 물
체를 높이 1미터 끌어올리는 데 필요한 일의 분량.

킬로톤(영.kiloton) 1,000톤을 나타내는 단위.

톤(영.ton) 무게의 단위. 프랑스에서는 1,000kg, 영국에서는 2,240
파운드(1016.1kg), 미국에서는 2,000파운드(907kg)를 1톤으로
한다.

기호 t.

헥토그램(영.hectogram) 100그램을 나타내는 단위.

기호 hg.

5. 길이 단위의 의존명사

마일(영.mile) 거리를 나타내는 단위의 하나. 1마일은 대략 1.6km쯤
　　　된다. ⑪영. 리⁴.

미터(영.metre) 미터법에 따른 길이의 기본 단위. 지구 자오선의 4,0
　　　00만분의 1로 정하였다.

　　　기호 m.

밀리(영.milli) '미리미터' 따위의 준말.

밀리미크론(millimicron) 길이의 단위. 1,000분의 1미크론.

　　　기호 mμ.

밀리미터(영.millimetre) 10분의 1센티미터.

　　　기호 mm. ㉪밀리.

센티(영.centi) 센티미터의 준말. 센티미터는 100분의 1미터이다.

　　　기호는 cm.

센티미터(영.centimetre) 100분의 1미터.

　　　기호 cm. ㉪센티.

킬로(그,영.kile) 킬로미터의 준말.

킬로미터(영.kilometre) 1,000미터를 나타내는 단위.

　　　기호 km. ㉪킬로.

피트(영.feet) 길이 단위의 하나. 1피트는 12인치이고 약 30.4cm에

해당한다.

헥토미터(영.hectometre) 100미터를 나타내는 단위.

한길 김승곤 전집

국어의 대명사, 관형사, 감탄사 연구

국어의
대명사,
관형사,
감탄사 연구

김승곤 지음

머리말

  글쓴이는 한글학회에서 간행한 『우리말사전』을 스무 번, 서른 번도 더 보았다. 왜냐하면 조사, 부사, 형용사의 분류를 위해서는 물론 대명사, 관형사, 감탄사 등을 일일이 조사하기 위해서였다.

  조사와 부사의 분류는 이미 책이 나와 있으며, 형용사의 분류는 곧 출간할 예정이다.

  여기서는 국어의 대명사는 물론 관형사, 감탄사 모두를 자세히 분류하여 한 권의 책으로 간행하기로 하였다.

  지금까지 우리가 알고 있는 대명사와 관형사 및 감탄사는 국어형태론에서 다루어진 것을 모두라고 생각하고 있으나 국어사전을 일일이 조사하여 보면 그 수는 놀랄 만큼 많다.

  그에 앞서 글쓴이의 국어형태론에서 다루어진 대명사, 관형사, 감탄사를 먼저 알아 보고 다음에 사전에서 찾은 이들 품사에 대하여 자세히 알아 보기로 하겠다.

김승곤

목차

제3장 새국어사전에서 조사한 관형사

제4장 새국어사전에서 조사한 감탄사

제 **1** 장
국어형태론에서 다루어진 대명사, 관형사, 감탄사

1. 국어형태론에서 다룬 대명사

이는 그 가리키는 대상에 따라 인칭대명사와 지시대명사의 두 가지로 가른다. 인칭대명사란 사람을 가리키는 데만 쓰이는 대명사이므로, '나, 너, 그대, 이분, 이이, 그분, 그이, …' 등과 같은 말들이요, 지시대명사는 사람 이외의 사물은 물론, 곳, 쪽, 때를 나타내는 대명사를 말한다.

예를 들면, '이것, 그것, 저것, 여기, 거기, 저기, 이리, 그리, 저리, 이때, 그때, 접때' 등이 그것이다. 그런데 인칭대명사에 대하여 주의할 것은 영어의 인칭대명사와 다르다는 점이다. 왜냐하면, 1인칭과 2인칭의 대명사는 다같이 사람을 나타내는 점이 같으나 3인칭의 대명사, 'he, she, it'는 사람은 물론 사물까지도 나타내기 때문이다.

1.1. 인칭대명사의 갈래

이는 그 인칭을 따라서 1인칭, 2인칭, 3인칭, 재귀칭의 네 가지로 가른다.

1.2. 1인칭 인칭대명사

1인칭의 인칭대명사는 주격과 관형격을 나타내는 형태적 구별이 있고 또 단수, 부수의 구별 및 높임의 등분이 있다.

자리 높임의 등분 셈	주격				관형격			
	아주 낮춤	예사 낮춤	예사 높임	아주 높임	아주 낮춤	예사 낮춤	예사 높임	아주 높임
단수	저, 제	나, 내			제	내		
복수	저희	우리 우리네						

1.3. 2인칭 인칭대명사

자리 높임의 등분 셈	주격				관형격			
	아주 낮춤	예사 낮춤	예사 높임	아주 높임	아주 낮춤	예사 낮춤	예사 높임	아주 높임
단수	너, 네	자네	그대 당신	어르신 어른	네	자네의	그대의 당신의	어르신의 어른의
복수	너희 너희들	자네들	그대들 당신들	어르신네 어르신들	너희 너희들의	자네들의	그대들의 당신들의	어르신네의 어르신들의

1.4. 3인칭 인칭대명사

이에는 주격과 관형격의 형태적 차이가 없고 다만 정칭인칭대명사와 부정칭인칭대명사의 둘로 나누어지는데 정칭인칭대명사는 그 가리켜지는 자리의 멀고 가까움을 따라서 가까움, 떨어짐, 멀음의 세 가지로 나누는데 '가까움'은 말할이에 대하여 위치상 가까운 사람을 나타내고 '떨어짐'은 들을이에게 가까운 사람을 나타내며 '멀음'은 양자에서 다 먼 사람을 나타낸다.

셈 높임의 등분 구분		단수				복수			
		아주 낮춤	예사 낮춤	예사 높임	아주 높임	아주 낮춤	예사 낮춤	예사 높임	아주 높임
정 칭	가까움	이애	이 사람	이분 이이	당신	이애들	이 사람들 이들	이분들 이이들	당신들
	떨어짐	그애	그 사람	그분 그이	당신	그애들	그 사람들	그분들 그이들	당신들
	멀음	저애	저 사람	저분 저이	당신	저애들	저 사람들	저분들 저이들	당신들
부 정 칭	모르거나	누구 아무 뉘, 누	어느사람 누구 아무	어느분 아무분 어떤분 어떤이	어느어른 아무어른 어떤어른	누구들 아무들	어느사람들 누구들 아무들	어느분들 아무분들 어떤분들 어떤이들	어느어른들 아무어른들 어떤어른들
	똑똑하지								

※ 앞에서 말하였지만 3인칭대명사에는 주격과 관형격의 형태적 구별이 없기 때문에 주격으로 쓰일 때는 주격조사를 그 뒤에 붙여 쓰면 되고, 관형격으로 쓰일 때는 그 뒤에 '의'를 붙이면 된다.

1.5. 재귀칭 인칭대명사

재귀칭의 인칭대명사를 외솔 선생은 통칭이라 하였으나(우리말본,[1] 237쪽), 지은이는 위와 같이 부르기로 한다. 이를 복수로 하려면 그 뒤에 '-들'을 붙이면 된다.

---

1) 김승곤, 『[개정판] 21세기 우리말본 연구』, 도서출판 경진, 2011. 이하 '우리말본'으로 표기한다.

높임의 등분 대명사	아주낮춤	예사낮춤	예사높임	아주높임
재귀칭	저, 남, 자기, 자신, 자기자신		자기, 자기자신, 자신	당신

(1) 단수: 저, 남, 자기, 자신, 자기자신, 당신
(2) 복수: 저희, 남들, 자기들, 자신들, 자기자신들, 당신네, 당신들

1.6. 지시대명사(사물대명사)

1.6.1. 지시대명사의 갈래와 부정칭지시대명사의 뜻

지시대명사는 그 가리키는 대상에 따라 일몬(사물), 곳, 쪽, 때의 네 가지로 가른다. 지시대명사는 높임의 등분이 없이 3인칭과 통칭의 둘이 있는데, 3인칭에는 잡힘(정칭)과 안잡힘(부정칭)의 두 가지가 있으며 정칭에는 가까움, 떨어짐, 멀음의 세 가지가 있다. 이것을 표로 나타내면 다음과 같다.

인칭	갈래		일몬	곳	쪽	때
3인칭	정칭	가까움	이것(-들), 이	여기	이리	이때
		떨어짐	그것(-들), 그	거기	그리	그때
		멀 음	저것(-들), 저	저기	저리	접때
	부정칭		무엇(부지) 어느것(불명) 아무것(불택) 어떤것(부정)	어데(어디)(부지) 아무데(불택) 어떤데(부정)	어느쪽(불명) 아무쪽(불택) 어떤쪽(부정)	언제(부지) 어떤때(부정) 아무때(불택) 어느때(불명)
	통칭		그것, 다른것	거기, 다른데		다른때

1.6.2. 지시대명사의 작은말

지시대명사 중 일몬(사물)의 '이것, 그것, 저것'과, 곳의 '여기, 거기, 저기', 쪽의 '이리, 그리, 저리', 때의 '이때, 그때, 접때' 등은 작은 말이 있음이 부정칭지시대명사와 다르다. 이들을 표로 보이면 다음과 같다.

인칭＼갈래		일몬		곳		쪽		때	
구분		큰말	작은말	큰말	작은말	큰말	작은말	큰말	작은말
정칭	가까움	이것	요것	여기	요기	이리	요리	이때	요때
	떨어짐	그것	고것	거기	고기	그리	고리	그때	고때
	멀 음	저것	조것	저기	조기	저리	조리	접때	조때

2. 국어형태론에서 다룬 관형사

2.1. 관형사의 특질

관형사란 체언 앞에 와서 그 체언을 매기는 구실을 하는 한 동아리의 품사를 말한다. 관형사는 활용을 하지 않으면서 오로지 체언만을 매기는 것이 그 특징이다.

(1) ㄱ. 이 책이 역사 책이다.

　　ㄴ. 저 사람이 기술자이다.

(1ㄱ~ㄴ)에서 '이, 저'가 관형사로서 명사 '책'과 '사람' 앞에 와서 그들을 매기고 있다. 그러면서 품사활용을 전혀 하지 않았다. 용언이 체언을 매기기 위해서는 활용을 하여 관형법이 되어야 하나 관형사는 그렇지 아니 하다. 그런데 지시관형사 '이', '그', '저'는 '요', '고', '조'의 작은말이 있음이 특징이다.

2.2. 관형사의 갈래

관형사는 토박이말로 된 것과 한자말로 된 것으로 가를 수 있다. 그러나 그 뜻에 따라 형용관형사와 지시관형사의 두 가지로 가르는 것이 일반적이다.[2]

2.3. 형용관형사

이는 그 뒤 체언의 성질, 모양 등 그 체언의 속성이 어떠함을 실질적으로 나타내는 관형사이다.

> (2) 새, 헌, 첫, 헛, 옛, 여러, 기나긴, 외, 온, 각, 왼, 오른, 뭇, 딴, 단(簞), 외딴, 온갖, 진(眞), 가(假), 공(公), 사(私), 순(純), 잡(雜), 만(滿), 별의별, 일대, 전(全), 현(現) 등이 있다.[3]

> (3) ㄱ. <u>옛</u> 어른의 말씀은 모두 옳다.
>   ㄴ. 너의 <u>첫</u> 사랑에 대하여 듣고 싶다.

---

2) 최현배, 『우리말본』(열 번째 고침판), 정음문화사, 1983, 578~579쪽.
3) 정인승, 『표준고등말본』, 신구문화사, 1956, 144~145쪽 참조.

ㄷ. <u>순</u> 생맥주를 한잔 주시오,

ㄹ. 옥수수밭은 <u>일대</u> 장관이었다.

ㅁ. 우리의 힘을 <u>전</u> 세계에 드높이자.

2.4. 지시관형사

말할이가 어떤 대상을 직접 가리켜서 말할 때 쓰이는 관형사인데 그 인칭의 확실함과 확실하지 않음에 따라 정칭과 부정칭의 두 가지로 나눈다.

(4) ㄱ. 정칭

㉮ 토박이말 : 이, 이까짓, 그, 그까짓, 저, 저까짓, 요, 요까짓, 고, 고까짓, 조, 조까짓, 여느

㉯ 한자말 : 해(該), 귀(貴), 본(本), 타(他), 동(同), 현(現), 내(來), 전(前), 후(後)

ㄴ. 부정칭

㉮ 토박이말 : 아무, 어느, 무슨, 웬

㉯ 한자말 : 모(某)[4]

위의 지시관형사는 인칭 구실은 물론 말받기(조응) 구실과 강조 구실을 한다.

(5) ㄱ. 여기에 많은 책이 있다. <u>이</u> 중에서 좋은 것을 하나 골라 가거라.

---

4) 최현배, 앞의 책, 584~585쪽 참조.

ㄴ. <u>저</u> 일을 어떡하노? 큰일 났구나.

ㄷ. <u>조</u> 못된 사람이 어디 있나.

(5ㄱ)의 밑줄 친 '이'는 '많은 책'을 받으므로 앞말받기(앞조웅)이요, (5ㄴ)의 밑줄 친 '저'는 글 밖의 말받기이므로 밭말받기(밭조웅)이다. (5ㄷ)의 '조'는 강조하기 위해서 쓰인 것이다.

여기서 하나 덧붙일 것은 종래 수량관형사는 품사 분류에서 수사로 처리하였기 때문에 여기서는 다루지 아니 한다.

3. 국어형태론에서 다룬 감탄사

문장 앞에서 독립성을 가지면서 말할이의 느낌을 나타내는 말로서 조사의 도움을 받지 않는 품사를 말한다. 감탄사는 본래 문장앞에 오는 것이 원칙이나 경우에 따라서는 문장의 중간이나 끝에도 쓰인다.

3.1. 감탄사의 갈래

감탄사는 그 나타내는 뜻에 따라 감정적 감탄사, 의지적 감탄사, 말버릇 감탄사, 말더듬 감탄사의 넷으로 나눈다.

3.2. 감정적 감탄사

놀람, 기쁨 같은 순수한 감정만을 나타내는 감탄사로 다음과 같

은 것이 있다.5)

① 기쁨: 하, 하하, 허허

② 성냄: 에, 엣, 에이, 엑기, 원

③ 슬픔: 아이고, 에구(어이구), 어이

④ 걱정: 하, 허

⑤ 한숨: 허, 허허, 하, 하하, 후, 후유

⑥ 놀램: 아, 아아, 아이고, 에구머니, 익기, 이크, 야아, 에따, 아이, 저런,
불이야, 도둑이야, 와, 사람 살려, 앗차

⑦ 두려움: 이이, 우우, 에비, 에비야

⑧ 인정: 참, 정말, 아무렴, 그렇지, 암

⑨ 지움: 웬걸, 어디, 천만에

⑩ 낙망: 어, 엉, 어뿔싸, 아뿔싸, 아차

⑪ 뜻같음: 이키, 이쿠, 애캐, 옳다, 옳지, 옳아, 얼싸, 얼씨구, 얼씨구나,
절씨구, 절씨구나

⑫ 즐거움: 만세, 좋다

⑬ 시원함: 에라, 야아

⑭ 놀림: 에뚜에, 아주, 얼싸, 어렵시오, 용용, 알랑총

⑮ 코웃음: 피, 푸, 후

⑯ 슬픔·감탄: 허, 허허, 에따

⑰ 깔봄: 애개, 애개개, 애따, 어릴

⑱ 불평: 에

⑲ 비방: 아따

---

5) 감탄사에 대하여는 최현배, 『우리말본』, 정음문화사, 1983, 608~610쪽에 의거함
이 많음.

⑳ 가엾음: 아이차, 아이구, 저런, 하하, 아이야, 애개, 에그

㉑ 기림: 좋다, 잘 한다

㉒ 반김: 아아, 야아

㉓ 물리침: 에라

㉔ 아양: 아이이

㉕ 앓음: 아야, 아이구

㉖ 욕설: 이 새끼, 개새끼, 제기랄

㉗ 의아: 글쎄, 글쎄다, 그래

㉘ 승인: 그래, 그럼

㉙ 흥겨움: 닐리리야, 니나노, 니나노 날실로, 에헤이요, 에헤이야 데헤이
    야, 에라났다, 지화자자 좋다, 에이요, 에에이야, 에어라차, …

㉚ 불만: 아아, 아뿔싸, 에라 놓아라

㉛ 느낌: 야(는야), 으라차챠

㉜ 혼남: 에뜨거라

3.3. 의지적 감탄사

꾀임, 부름과 같은 의지의 앞머리를 들어내는 감탄사로서 다음과
같은 것이 있다.

① 단념: 에따, 앗아라, 그만둬
② 주의: 쉬, 수쉬, 쉿
③ 독려: 자, 위여, 버텨라
④ 꾀임: 자
⑤ 재촉: 응, 그래, 어서

⑥ 어름: 이놈, 요놈, 저놈, 그놈

⑦ 힘씀: 이여차, 어기여차, 이여싸, 영차, 어화어화 어화영차 어화, 어기

　　여라 궁굴레, …

⑧ 부름: 여보십시오, 여보시오, 여보, 여보게, 이봐, 얘, 임마

　　오래오래, 똘똘(돼지 부르는 소리)

　　구구(닭 부르는 소리)

　　워리(개 부르는 소리)

⑨ 대답(높임의 차례에 따라)

　　예, 응, 그래, 오냐,

　　아니올시다, 아닙니다, 아니요, 아니, 아니야

　　왜요, 왜, 뭐

　　글쎄올시다, 글쎄요, 글쎄

⑩ 시킴: 열중 쉬어, 차렷, 경례, 쉬엇, …

　　왕(말에 대하여)

　　워(소에 대하여)

⑪ 인사: 안녕

⑫ 축배: 건배, 지화자

⑬ 기침: 에헴, 어험, 애햄

⑭ 악 올림: 용용

3.4. 말버릇 감탄사

아무 느낌이나 생각 없이 단순히 입버릇으로 말에 섞어 내는 것
이 있다.

머, 멀, 말이지, 말이야

3.5. 말더듬 감탄사

말이 빨리 나오지 아니 할 때 말을 더듬는 모양으로 아무 뜻 없는 소리로 내는 것으로 다음과 같은 말이 있다.[6]

이, 에, 저, 음, 거시기

---

[6] 정인승, 『표준고등말본』, 신구문화사, 1956, 159~160쪽 참조.

제2장

새국어사전에서 조사한 대명사

이는 그 가리키는 대상에 따라 인칭대명사와 지시대명사의 두 가지로 가른다. 인칭대명사란 사람을 가리키는 데만 쓰이는 대명사이므로, '나, 너, 그대, 이분, 이이, 그분, 그이, …' 등과 같은 말들이요, 지시대명사는 사람 이외의 사물은 물론, 곳, 쪽, 때를 나타내는 대명사를 말한다.

예를 들면, '이것, 그것, 저것, 여기, 거기, 저기, 이리, 그리, 저리, 이때, 그때, 접때' 등이 그것이다. 그런데 인칭대명사에 대하여 주의할 것은 영어의 인칭대명사와 다르다는 점이다. 왜냐하면, 일인칭과 이인칭의 대명사는 다같이 사람을 나타내는 점이 같으나 삼인칭의 대명사, 'he, she, it'는 사람은 물론 사물까지도 나타내기 때문이다.

1. 인칭대명사

이는 그 인칭을 따라서 일인칭, 이인칭, 삼인칭, 재귀칭의 네 가지로 가른다.

1.1. 일인칭 인칭대명사

일인칭 인칭대명사는 주격과(문장에 따라 목적격, 여격 등도 됨. 이하 같음) 관형격을 나타내는 형태적 구별이 있고 또 단수, 부수의 구별 및 높임의 등분이 있다.

격	주격				관형격	
대우의등분	극비칭	보통비칭	보통존칭	극존칭	극비칭	보통비칭
단수	저, 제	나, 내, 여, 짐(朕)			제	내
복수	저희	우리, 우리네				

1.1.1. 일인칭 대명사의 대우법

1.1.1.1. 주격 단수의 극비칭 대명사

빈도(貧徒): 중이나 도사가 자기를 겸손하게 일컫는 말.

빈승(貧僧): =빈도. (극비칭)

비인(鄙人): 촌사람. 대명사로는 저. (극비칭)

시생(侍生): 웃어른께 대하여 자기를 일컫는 말. (극비칭)

애손(哀孫): 할머니의 상중에 있는 손자가 자기를 일컫는 말 (극비칭)

유자(猶子): 편지에서 조카가 나이 많은 작은아버지에게 자기를 일컫는
　　말. (극비칭)

전: "저는"이 준말. (극비칭)

저: ① "나"의 단수 극비칭 "가" 조사가 붙으면 "제"로 된다. ② "자기"의
　　낮춤말. 주격조사 "가"가 오면 "재"가 된다.

제: ① "나"의 낮춤말인 "저"의 바뀜말. 주격조사 "가" 앞에서 쓰인다.
　　② 자기의 낮춤말인 "저"의 바뀜말. 주격조사 "가" 앞에 쓰인다.

고자(孤子): 아버지가 죽고 어머니만 있는 상중에 있는 사람이 자기를 일컫
　　는 말. (극비칭)

소생(小生): 윗사람에 대하여 스스로 "자기"를 겸손하게 일컫는 말. (극비
　　칭) ㉤하생.

소첩(小妾): 여편네가 "자기"를 극히 낮추어 일컫는 말. (극비칭)

인질(姻姪): 고모부에 대하여 "자기"를 일컫는 말. (극비칭) ㉤고장. 부질.

졸처(拙妻): 아내가 남편에게 대하여 "자기 스스로"를 낮추어서 일컫는
　　말. (극비칭)

천신(賤臣): 임금께 대하여 신하가 제 몸을 낮추어 일컫는 말. (극비칭)

천첩(賤妾): 부인이 남편에게 자기를 낮추어 일컫는 말.

한생(寒生): 자기를 겸손하게 일컫는 말.

1.1.1.2. 주격 단수의 보통비칭 대명사

나: 평교간이나 아랫사람인 상대방에게 말하는 이가 스스로를 가리켜 일컫
　　는 말.

여(予/余): =나.

짐(朕): 천자가 스스로를 일컫는 말.

소생(小生): 정승들 사이에 서로 "자기"를 겸손하게 일컫는 말. (보통비칭)

　　⑪하생(下生).

인말(姻末): 편지에서 이질 또는 처질에게 자기를 일컫는 말.

오인(吾人): =나.

제(弟): 평교간 편지에서 "아우"의 뜻으로 자기를 낮추어 쓰는 말.

1.1.1.3. 단수 관형격의 극비칭 대명사

제: 자기의 극비칭인 관형격 "저의"의 준말.

1.1.1.4. 단수 관형격의 보통비칭 대명사

내: "나의"의 준말.

1.1.1.5. 복수 주격의 극비칭과 보통비칭 대명사

1.1.1.5.1. 복수 주격의 극비칭 대명사

저희: 우리의 극비칭. 때로는 "저희들"로 쓰이는 일이 있다.

1.1.1.5.2. 복수 주격의 보통비칭 대명사

아배(我輩): 우리네.

아등(我等): 우리들.

여등(余等): =우리들.

여배(余輩): 우리네.

오등(吾等): 우리들.

오배(吾輩): 우리의 무리.

오인(吾人): ＝우리.

이네: 이 무리의 사람.

우리: 말하는 사람이 자기편의 여러 사람을 일컫는 말. ㉰울. ㉻오인.

우리네: 우리의 무리. ㉻아배(我輩). 오배(吾輩).

우리들: 우리 여러 사람.

울: "우리"의 준말.

1.2. 이인칭 인칭대명사

격	주격				관형격			
대우법	극비칭	보통비칭	보통존칭	극존칭	극비칭	보통비칭	보통존칭	극존칭
단수	너 네	귀군 자네 그대	어른 당신	어르신	네	자네의	그대네 당신네	어르신네
복수	너희 너희들	그대들 자네들 귀군들	당신들	어르신들	너희 너희들	자네들의	그대네들 당신네들	어르신네들

※ 어르신네와 비슷한 말: 가존, 어르신, 영존, 존장, 춘당, 춘부, 춘부장, 춘장, 춘정.

1.2.1. 주격 단수의 극비칭 대명사

너: ① 바로 대하고 말하는 손아랫사람이나 친한 사람을 가리키는 말.

네: "너"의 변이형태. 주격조사 "가" 앞에 쓰인다.

여(汝): 너.

이년: ① "이 여자"를 욕으로 일컫는 말. ㉰요년. ③ "이 계집아이"를 귀엽

게 일컫는 말. ㊂요년.

요놈: "요 남자"를 욕으로 일컫는 말. ㊀이놈. ② "요 사내아이"를 귀엽게
　　일컫는 말. ㊀이놈.

요년: ① "요 여자"를 욕으로 일컫는 말. ㊀이년. ② "요 계집아이"를 귀엽
　　게 일컫는 말. ㊀이년.

1.2.2. 주격 단수의 보통비칭 대명사

자네: "하게" 할 자리에 상대자를 가리키며 일컫는 말. ㊀군(君).

여(汝): 자네.

군(君): 자네.

귀군(貴君): 그대.

그대: ① 벗 사이나 아랫사람을 점잖게 대접하여 일컫는 말. ② 주로 글에
　　서 대상을 친근하게 일컫는 말.

1.2.3. 주격 단수의 보통존칭 대명사

당신: ① 예사높임에 상대방을 가리키는 말. ③ 부부 사이에 서로 높이어
　　이르는 말.

이녁: 하오 할 사람을 마주 대하여 공경하는 뜻이 없이 그이를 좀 대접하여
　　일컫는 말.

동덕(同德): <천도> 천도 교인끼리 서로 높이어 부르는 말.

임자: ① 친한 사람끼리 "자네"라고 하기가 좀 거북할 때 부르는 말. ②
　　부부 사이에서 상대방을 가리키는 말.

어른: 남의 아버지를 조금 높여 이르는 말.

존형(尊兄): 같은 또래 사이에서 "상대방"을 높여 부르는 말.

1.2.4. 주격 단수의 극존칭 대명사

어르신: 어르신네.

어르신네: 남의 아버지의 높임말.

안전(案前): 하급 관리가 "관원"을 높이어 일컫는 말.

     (예) 어느 안전이라고 숨기려 하느냐?

옹(翁): 남자 노인에 대한 높임말.

1.2.5. 주격 복수의 극비칭 대명사

너희: 너의 복수.

너희들: 너희 여러 사람.

여등(汝等): 너희들.

여배(汝輩): 너희들.

1.2.6. 주격 복수의 보통비칭 대명사

자네들: "자네"의 복수. 또 "자네네"

군(君)들: 자네들.

그대들: "그대"의 복수.

귀군(貴君)들: "귀군"의 복수.

1.2.7. 주격 복수의 보통존칭 대명사

당신들: "당신"의 복수.

제씨(諸氏): 주로 누구누구라고 열거한 성명 또는 직업과 관련된 명사 아래
　　에 붙여 "여러분"의 뜻으로 쓰는 말.

제위(諸位): 여러분.

첨좌(僉座): "여러분 앞"의 뜻. 주로 편지의 앞에 쓰인다.

어른들: 여러 어른.

임자들: "임자"의 복수.

1.2.8. 주격 복수의 극존칭 대명사

어르신들: 여러 어르신네.

어르신네들: "어르신네"의 복수.

1.2.9. 단수 관형격의 대명사

국어의 관형격 인칭대명사에는 단수 극비칭에는 "네"가 있고 복
수에는 "너희"가 있으나 그 이외에는 인칭대명사에 관형격조사
"의"를 붙여서 사용하는 경우도 있고 붙이지 않고 쓰는 경우도 있
다. 그런 까닭에 단수와 복수의 보통비칭과 보통존칭, 극존칭에는
각각 그렇게 알아서 쓰면 된다.

1.3. 삼인칭 인칭대명사

이에는 주격과 관형격의 형태적 차이가 없고 다만 정칭인칭대명사와 부정칭인칭대명사의 둘로 나누어지는데 정칭대명사는 그 가리켜지는 자리의 멀고 가까움을 따라서 가까움, 떨어짐, 멀음의 세 가지로 나누는데 '가까움'은 말할이에 대하여 위치상 가까운 사람을 나타내고 '떨어짐'은 들을이에게 가까운 사람을 나타내며 '멀음'은 양자에서 다 먼 사람을 나타낸다.

구분 / 높임의 등분 / 셈	단수				복수			
	극비칭	보통비칭	보통존칭	극존칭	극비칭	보통비칭	보통존칭	극존칭
정칭 가까움	이애	이사람	이분 이이	당신	이애들	이사람들 이들	이분들 이이들	당신들
정칭 떨어짐	그애	그사람	그분 그이	당신	그애들	그사람들 그들	그분들 그이들	당신들
정칭 멀음	저애	저사람	저분 저이	당신	저애들	저사람들 저들	저분들 저이들	당신들
부정칭 모르거나 똑똑지 아니함	누구 아무 뉘 누	어느사람 누구 아무	어느분 아무분 어떤분 어떤이	어느어른 아무어른 어떤어른	누구들 아무들	어느사람들 누구들 아무들	어느분들 아무분들 어떤분들 어떤이들	어느어른들 아무어른들 어떤어른들

※ 앞에서 말하였지만 삼인칭 인칭대명사에는 주격과 관형격의 형태적 구별이 없기 때문에 주격으로 쓰일 때는 주격조사를 그 뒤에 붙여 쓰면 되고, 관형격으로 쓰일 때는 그 뒤에 '의'를 붙이면 된다.

여기서는 위 표에 없는 대명사들을 예시하고 설명하기로 하겠다.

1.3.1. 극비칭 대명사

1.3.1.1. 여자의 극비칭 대명사

저년: "저 여자"를 욕으로 일컫는 말. 〈큰〉조년.
조년: "조 여자"를 욕으로 일컫는 말. 〈작〉저년.

1.3.1.2. 남자의 극비칭 대명사

저놈: "저 남자"를 욕으로 일컫는 말. 〈큰〉조놈.
조놈: "조 남자"를 욕으로 일컫는 말. 〈작〉저놈.
그자(者): 그 사람의 낮은 말.
너: 이인칭 대명사이나 삼인칭으로 쓰이는 일이 있다. 즉 "바로 대하고
　　말하는 사람 이외의 대상.
　　　　(예) 너 나 할 것 없이 모두가 똑 같다.
이것: "이사람"의 낮은 말.

1.3.2. 삼인칭의 극비칭 대명사

이것: "이 아이"를 다정하게 일컫는 말.
저년: "저 계집아이"를 귀엽게 일컫는 말. 〈큰〉조년.
조년: "조 계집아이"를 귀엽게 일컫는 말. 〈작〉저년.
저놈: "저 사내아이"를 귀엽게 일컫는 말. 〈큰〉조놈.
조놈: "조 사내아이"를 귀엽게 일컫는 말. 〈작〉저놈.
천솔(賤率): ① 남에게 자기의 첩(妾)을 낮추어 일컫는 말.

② 남에게 자기 가족을 낮추어 일컫는 말.

천식(賤息): 자기 자식을 남에게 대하여 낮추어 일컫는 말.

궐자(厥者): "그 사람" 또는 "그 자"라는 뜻. ㈜궐.

그것: ① "그 사람"을 낮잡는 말. ② "그 아이"를 다정하게 일컫는 말.
　　㈜그거.

남: 자기에 맞서는 사람을 두루 가리키는 말.

걔: "그 아이"의 준말.

걘: "그 아이는"의 준말.

걜: "그 아이를"의 준말.

얘: "이 아이"의 준말.

쟤: "저 아이"의 준말.

쟨: "저 아이는"의 준말.

쟬: "저 아이를"의 준말.

우식(愚息): "어리석은 자식"이라는 뜻으로 자기 아들을 겸손하게 이르는
　　말.

우처(愚妻): 자기 처의 낮춤말.

1.3.3. 삼인칭의 보통존칭 대명사

이: "이이"의 준말.

저: "저이"의 준말.

중형(仲兄): 자기의 둘째 형님. ㈁중씨.

종백(從伯): 남에게 대하여 자기 삼촌의 맏형을 일컫는 말. ㈁종백씨.

종중씨(從仲氏): 남에게 대하여 자기의, 또는 그이의 사촌 둘째 형을 일컫
　　는 말.

중씨(仲氏): ① 남의 둘째 형을 높여서 일컫는 말. ② 중형.

1.3.4. 삼인칭의 극존칭 대명사

여기서는 다음 하나만을 설명하기로 한다.

당신: 이야기 되는 제3자를 높이어 가리키는 말.

　　(예) 부처님 당신께서….

1.3.5. 삼인칭의 부정칭(不定稱) 대명사

모(某): =아무.

아무: 누구라고 지정하지 아니 하고 막연히 가리키는 말.

아무개: "아무"를 낮게 이르는 말.

아무아무: 누구들이라고 둘러대지 않고 가리키는 말.

누구: 알지 못할 의문의 사람. 또는 이름을 꼭 집어 말할 수 없는 어떤

　　사람을 가리키는 말.

누: "누구"의 변이 형태. 주격조사 "가"와 목적격조사 "ㄹ"과 함께 쓰인다.

　　(예) 눌 기다리나?

누구누구: ① 꼭 집어 말할 수 없는 모르는 사람들을 모두 가리키는 말.

　　　② "누구"를 강조하는 말.

뉘: "누구의"가 줄어든 말.

1.4. 재귀칭의 인칭대명사

재귀칭의 인칭대명사를 외솔 선생은 통칭이라 하였으나(우리말본, 237쪽), 지은이는 위와 같이 부르기로 한다. 이를 복수로 하려면 그 뒤에 '-들'을 붙이면 된다.

대우의등분 대명사	극비칭	보통비칭	보통존칭	극존칭
재귀칭	저, 남, 자기, 자신, 자기자신	자기, 자기자신, 자신	당신

민(民): =화민. 전날 조상의 산소가 있는 제 고장의 원에 대하여 "자기"를
　　　일컫는 말.
저: "자기"의 낮춤말. "가" 조사가 오면 "제"가 된다.
제: "자기"의 낮춤말인 "저"의 바뀜말. 주격조사 "가" 앞에 쓰인다.
제: "자기"의 낮춤말.

2. 사물대명사

2.1. 사물대명사의 갈래와 부정칭 사물대명사

사물대명사는 그 가리키는 대상에 따라 일몬(사물), 곳, 쪽, 때의 네 가지로 가른다. 사물대명사는 높임의 등분이 없이 삼인칭과 통칭의 둘이 있는데, 삼인칭에는 정칭과 부정칭의 두 가지가 있으며 정칭에는 가까움, 떨어짐, 멀음의 세 가지가 있다. 이것을 표로 나타

내면 다음과 같다.

가리킴 / 갈래			일몬	곳	쪽	때
삼인칭	정칭	가까움	이것(-들), 이	여기	이리	이때
		떨어짐	그것(-들), 그	거기	그리	그때
		멀 음	저것(-들), 저	저기	저리	접때
	부정칭		무엇(부지) 어느것(불명) 아무것(불택) 어떤 것(부정)	어데(어디)(부지) 아무데(불택) 어떤데(부정)	어느쪽(불명) 아무쪽(불택) 어떤쪽(부정)	언제(부지) 어떤때(부정) 아무때(불택) 어느때(불명)
통칭			그것, 다른것	거기, 다른데		다른때

2.2. 사물대명사의 작은말

사물대명사 중 사물의 '이것, 그것, 저것'과 곳의 '여기, 거기, 저기' 쪽의 '이리, 그리, 저리' 때의 '이때, 그때, 접때' 등은 작은말이 있음이 부정칭 사물대명사와 다르다. 이들을 표로 보이면 다음과 같다.

가리킴 / 갈래		일몬		곳		쪽		때	
구분		큰말	작은말	큰말	작은말	큰말	작은말	큰말	작은말
정칭	가까움	이것	요것	여기	요기	이리	요리	이때	요때
	떨어짐	그것	고것	거기	고기	그리	고리	그때	고때
	멀 음	저것	조것	저기	조기	저리	조리	접때	조때

사물대명사도 위 표에 없는 것만 여기서 다루기로 한다.

2.2.1. 일몬(사물)을 가리키는 사물대명사

아무것: 그 어떤 것(불택).

어느것: 어느 물건.

요것: "이것"을 얕잡거나 귀엽게 또는 축소하여 일컫는 말. ㉜요거.

이것저것: 이것과 저것.

이것: ① 말하는 이에게 가까이 있는 사물을 가리키는 말. ② 바로 전에 말하였거나 알면서 사물을 가리키는 말.

요거: "요것"의 준말.

이거: "이것"의 준말.

고것: "그것"을 얕잡거나 귀엽게 또는 축소하여 일컫는 말.

저건: "저것은"의 준말.

저걸: "저것을"의 준말.

저걸로: "저것으로"가 줄어든 말.

차(此): 이 또는 이것.

2.2.2. 장소를 가리키는 사물대명사

거시키＝거시기: 말하고자 하는 사물의 이름이 얼른 떠오르지 않거나 바로 말하기가 거북스러울 때 그 대신으로 일컫는 말.

어디: ① 꼭 정하지 아니 하였거나 모르는 곳. ② 밝혀서 말할 필요가 없는 곳. ③ 무엇이라 말하기 어려운 어떤 점. ④ 어떤 수량이 대단할 때 쓰는 말. ⑤ 부사로 쓰이어 반문함이나 부인함을 강조하는 말. ⑥ 남의 주의를 끄는 말. ⑦ "어딜"로 쓰이어 금하는 뜻을 나타냄.

여: "여기"의 준말.

여기: 이곳. ㈜여. 예.

거: "거기"의 준말.

저: "저기"의 준말.

저기: 저곳. ㈜저. 제.

당처(當處): 이곳.

거기: ① 그곳. ㈜거. 게. ② 이미 말한 대상을 "그것" 또는 "그점"의 뜻으로
　　　 가리키는 말.

거: "거기"의 준말.

게: "거기"의 준말.

고기: "거기"를 범위를 좁혀서 이르는 말.

2.3. 부정칭 사물대명사

부정칭 사물대명사는 '무슨, 어느, 아무, 어떤'의 뜻에 따라 그것
이 분명하여 지는데 이들을 알아보면 다음과 같다.

(1) ㄱ. 무슨: 모르는 일이나 물건을 나타냄.

　　 ㄴ. 어느: 여럿 가운데 막연하며 어떤, 확실히 모름을 나타냄.

　　 ㄷ. 아무: 꼭 지정하지 아니 하고, 감추거나 가정하여 일컬음.

　　 ㄹ. 어떤: 꼭 집어내어 말하기 막연함.

(1)은 '새한글사전'에 의한 것인데, 이에 따르면 부정칭 사물대명
사의 뜻은 다음과 같이 구별된다.

(2) ㄱ. 모름(부지)

     ㉮ 무엇   ㉯ 어디   ㉰ 언제

ㄴ. 선택이 똑똑하지 아니함

     ㉮ 어느것   ㉯ 어느쪽   ㉰ 어느때

ㄷ. 가리지 않음(불택)

     ㉮ 아무것   ㉯ 아무데   ㉰ 아무쪽   ㉱ 아무 때

ㄹ. 정하지 못함(부정)

     ㉮ 어떤 것   ㉯ 어떤데   ㉰ 어떤쪽   ㉱ 어떤때

2.4. 사물대명사의 수

사물, 곳, 쪽, 때의 사물대명사는 복수를 나타낸다.

(3)   ㄱ. ㉮ 이것들을 가지고 가시오.

        ㉯ ?이들을 가지고 가시오.

    ㄴ. ㉮ 그것들을 가지고 가자.

        ㉯ *그들은 좋은 연장이다.

    ㄷ. ㉮ 저것들을 여기에 버려 두자.

        ㉯ ?저들은 이 공사에 쓰이는 연장들이다.

    ㄹ. ㉮ 무엇들 하느냐?   ㉯ 언제들 오시오?

    ㅁ. ㉮ 여기들 계셔요.   ㉯ 거기들 노세요.

        ㉰ 다 저기들 있다.   ㉱ 어데들 가시오.

    ㅂ. ㉮ 이리들 오시오.   ㉯ 그리들 가시오.

        ㉰ 저리들 가시오.

(3ㄱ~ㅂ)에서 보아 알 수 있듯이 정칭은 다 복수가 되지마는 부정

칭은 '무엇', '어데(어디)', '언제'에 한하여 복수가 될 수 있음을 알
수 있다.

3. 인칭대명사의 쓰임

지금까지의 문법에서는 인칭대명사의 쓰이는 경우에 대하여 설
명해 놓은 책이 하나도 없었기 때문에 문법을 공부하여도 말을 제
대로 할 줄을 몰랐다. 그러므로 여기서는 인칭대명사의 용법을 상
세히 밝힘으로써 올바른 말법을 구사할 수 있도록 하고자 한다.

3.1. 일인칭 대명사의 쓰임

3.1.1. '나'의 쓰임

'나'는 노소를 가리지 아니 하고 친구 사이에 쓸 수 있다. 이때
'나'의 등급은 보통비칭이다.

> (4) ㄱ. 자네가 미국 간 줄 알았네.
>   ㄴ. 나는 학교에 간다.

'나'는 집안의 어른이 그 아랫사람에 대하여 자기를 말할 때 쓴다.

> (5) ㄱ. 나는 오늘 서울 다녀 오마.
>   ㄴ. 나는 김선생을 만나러 가겠다.

집안의 아랫사람은 '아들, 딸, 며느리, 조카, 질녀, 질부, 종질, 종질녀, 종질부, 손자, 손녀, 손부, 증손, 종손녀, 종손부, …'들을 말한다.

남자의 경우, 나이가 많더라도, 고종의 며느리와 외사촌의 며느리를 보고 '나'를 쓰되 서술어는 삼가말로 해야 하고, 부인의 경우, 질서를 보고 '나'를 쓰되 서술어는 삼가말로 해야 한다.

(6) ㄱ. 나는 서울 다녀왔습니다. 그 동안 어른 모시고 잘 계셨습니까?
   (고종의 며느리에게, 외사촌의 며느리에게)

   ㄴ. 나는 서울서 어제 왔습니다. 잘 계셨어요?
   (부인이 질서에게)

면복친당(9촌 이상)의 부인, 외사촌의 손부, 고종의 손부, 처남의 며느리, 처남의 손부, 처제, 처질녀, 처질녀의 며느리에게는 '나'를 쓰되 서술어는 삼가말을 써야 한다.

(7) ㄱ. 할아버님, 언제 오셨습니까? (면복친당의 35세 부인)

   ㄴ. 예, 나는 어제 왔습니다. (75세의 할아버지)

(8) ㄱ. 고모부님, 언제 오셨습니까?

   ㄴ. 나는 오늘 왔습니다. (처질부, 처질녀에게)

시아버지의 외사촌형이 고종아우의 며느리에 대하여 '나'를 쓸 수 있다.

(9) ㄱ. 외아주버님, 몇 시 차로 오셨습니까?

ㄴ. 나는 9시 차로 왔습니다.

시아버지의 고종형이 외사촌 아우의 며느리에 대하여 '나'를 쓸
수 있다.

(10) ㄱ. 아주버님, 언제 오셨습니까?

ㄴ. 나는 어제 왔습니다.

시동생이 형수에 대하여 '나'를 쓸 수 있다.

(11) ㄱ. 아주버님, 언제 오셨어요?

ㄴ. 나는 어제 왔습니다.

주격의 '내'도 '나'와 그 쓰임은 동일하기 때문에 별도로 그 쓰임
을 밝히지 아니 하기로 한다.

3.1.2. 관형격 '내'의 쓰임

'내'는 부당 사람말[1] 앞에 쓰인다.

이는 들을이가 말할이보다 하급 사람일 경우에 한한다. 그러나
들을이가 말할이와 동급일 경우에는 '내' 대신 '우리'를 써야 한다.

---

1) 부당 사람은 '아들, 딸, 며느리, 조카, 질녀, 질부, 종질, 종질녀, 종질부, 재종질,
재종질녀, 재종질부, 삼종질, 삼종질녀, 사종질부, 손자, 손녀, 손부, 종손자, 종손
녀, 종손부, 재종손, 재종손녀, 재종손부' 등을 말한다.

(12) 내 아들, 내 며느리, 내 질녀, 내 질부, 내 종질, 내 종질녀, 내 종질부,

　내 손자, 내 종손, … 또는 우리 아들, 우리 질부, 우리 며느리, …

들을이가 말할이보다 하급 사람이라 할지라도 친당 사람말[2] 앞
에는 '내'는 쓸 수 없다.

(13) *내 할아버지, *내 아버지, *내 맏아버지, *내 형, *내 제수, *내
　오라버니, *내 동생댁, …

또, 척당사람말 앞에도 '내'라는 말을 써서는 안 된다.

(14) *내 외손자, *내 생질부, *내 사위, …

(13), (14)와 같은 경우에 '내'를 쓰게 되면 불손한 말이 되기 때문
에 '내' 대신에 '우리'를 사용하여 '우리 할아버지, 우리 외손자, 우리
아버지, 우리 생질부, 우리 사위, …'식으로 말하여야 한다.
　손위 어른이 집안의 아랫사람에게 대하여는 물론 '내'를 쓸 수
있다.

(15) ㄱ. 이것이 내 만년필이다.
　　 ㄴ. 내 차는 이것이다.

---

2) '친당 사람'이란 남자 형제와 그의 아내, 나와 누이로부터 아버지 계열 사람들과
　어머니, 할머니를 모두 포함하여 일컫는다(여증동, 『한국가정언어』, 시사문화사,
　1991, 35~36쪽에 의거함).

나이 많은 사람이 젊은 사람에 대하여서나 기관장이 부하 직원에 대하여는 물론 선배가 후배에 대하여 '내'를 쓸 수 있다.

(16) ㄱ. 내 책은 아주 좋은 책이네.

ㄴ. 김 아씨, 내 도장 못 보았어요?

ㄷ. 내 차를 자네가 좀 이용하게.

처질부, 고종의 며느리, 외사촌의 며느리에게 대하여는 '내'를 쓸 수 있다.

(17) ㄱ. ㉮ 이것이 고모부님 책입니까? (처질부)

㉯ 예, 내 책입니다. (고모부)

ㄴ. ㉮ 이것이 아주버님 책입니까? (외사촌 며느리)

㉯ 예, 내 책입니다. (시아버지 고종)

ㄷ. ㉮ 이것이 아주버님 책입니까? (고종 며느리)

㉯ 예, 내 책입니다. (시아버지 외사촌)

처제에 대하여도 '내'를 쓸 수 있다.

(18) ㄱ. 이것이 형부 책입니까? (처제)

ㄴ. 예, 내 책입니다. (형부)

'내'의 쓰임은 '나'의 경우와 같다. 따라서 '내'에서 제시하지 못했던 것은 '나'의 쓰임을 참고하여 원용하면 될 것이다.

3.1.3. '우리'의 쓰임

'나'의 복수를 나타낼 때 쓰인다.

  (19) ㄱ. 우리들은 학교에서 기술을 배웠다.
       ㄴ. 우리는 대한민국의 아들딸, 죽음으로써 나라를 지키자.

'우리'는 말할이의 집단을 나타낼 때 쓰임은 (19ㄱ~ㄴ)으로써 알 수 있다.
  말할이와 들을이가 동급 사람일 경우에는 본당 사람들 앞에 '내' 를 쓰지 말고 '우리'를 써야 한다.

  (20) 우리 아들, 우리 딸, 우리 며느리, 우리 조카, 우리 질부, 우리 손자,
       …

  들을이가 말할이보다 하급 사람일지라도 친당 사람말 앞이나, 척 당 사람말 앞은 물론 췌객 사람말 앞에는 '우리'를 써야 한다.

  (21) 우리 아버지, 우리 어머니, 우리 맏아버지, 우리 제수, 우리 외손자,
       우리 생질, 우리 사위, …

3.1.4. '저/제'의 쓰임

어른이나 기관장 및 스승에 대하여 말할 때는 '저/제'를 쓴다.

(22) ㄱ. ㉮ 이것이 누구의 책이냐?

　　　㉯ 예, 저의(제) 책입니다.

　　ㄴ. ㉮ 이것이 너의 것이냐?

　　　㉯ 예, 제 것입니다.

들을이가 말할이보다 상급 사람일 경우에는 본당 사람말 앞에는 '제'를 쓴다.

(23) 저의 아들, 저의 딸, 저의 며느리, 저의 조카, 저의 질녀, 저의 손자,

　　　…

집안의 어른들에 대하여 자신을 '저/제'라고 한다.

(24) ㄱ. 할아버지, 제가 이것을 처리하겠습니다.

　　ㄴ. 아버님, 제가 이 책을 사 가지고 오겠습니다.

　　ㄷ. 맏아버님, 이 책을 제가 가져 왔습니다.

손아래 동서가 손위 동서에게 '제'를 쓴다.

(25) ㄱ. 형님, 제가 시장에 갔다 올까요?

　　ㄴ. 형님, 제가 장 보러 가면 어떻소?

외숙부모, 고모부, 이모부, 고모, 이모에게는 '제'를 쓴다.

(26) ㄱ. 외아저씨, 제가 이것을 가지고 가겠습니다.

ㄴ. 고모님, 제가 태워 드리겠습니다.

ㄷ. 이모님, 제가 이것을 가지고 가겠습니다.

장인, 장모, 처백부, 처숙부, 처백모, 처숙모에 대하여는 '제'를
쓴다.

(27) ㄱ. 장인어른, 제가 모시겠습니다.

ㄴ. 처삼촌, 제가 이것을 가져 왔습니다.

ㄷ. 처백모님, 제가 어제 왔습니다.

처남의 댁은 시누 남편에게 '제'를 쓴다.

(28) 박 사방 오십니까? 저의 어머님은 서울 가셨습니다.

처외조부와 처외조모에게는 '제'를 쓴다.

(29) ㄱ. 처외조부님, 제가 이것을 가져 가도 되겠습니까?

ㄴ. 처외조모님, 제가 내일 가겠습니다.

사장어른에 대하여는 '제'를 써야 하고 사돈끼리도 '제'를 써야
한다.

(30) ㄱ. 사장어른, 제가 왔습니다.

ㄴ. 사돈 제가 실수하더라도 이해하십시오.

3.2. 이인칭 대명사의 쓰임[3]

3.2.1. '당신'의 쓰임

가. 별로 좋지 않은 뜻으로 상대방을 예사 높여서 가리킨다.

(31) ㄱ. 당신이 나에게 주었지 않소?

ㄴ. 당신은 이것을 가지시오.

나. 예사로 높여서 상대를 가리킨다.

(32) ㄱ. 당신은 누구시오?

ㄴ. 당신은 언제 왔어요?

(32ㄱ~ㄴ)의 '당신'은 예사로 높인 말이다. 혹 성경에서는 하나님을 '당신'이라 하여 쓰는 일이 있으나, 이는 특수한 용법으로 우리의 일상 말살이에서는 잘 쓰지 않는다.

그런데 오늘날 부부 사이는 물론, 친한 친구 사이에서도 흔히 쓰는 일이 있으나 부부 사이에는 본래 호칭법이 없으나 지방에 따라 '임자'(아내에게), '자네'(아내에게)를 쓰는 일이 있다.

---

3) 최현배, 『우리말본』, 정음문화사, 1983, 235쪽에 의거할 것임.

3.2.2. '그대'의 쓰임

이 대명사는 그리 많이 쓰이지 않는데 친근하게 말할 때 쓰인다. 예를 몇 들어 보면 다음과 같다.

애인에 대하여 쓰는 일이 있다.

> (33) ㄱ. 그대에게 드립니다. 받아 주소서.
>
> ㄴ. 그대 모습 보고 싶어 잠 못 이뤄 합니다.

손위 어른이 아래 사람에게 쓰는 일이 있다. 개화기에는 애인에게 쓰는 일이 있었다.

> (34) ㄱ. 그대들이 이 나라를 짊어지고 가야 한다.
>
> ㄴ. 이 나라를 건설하는 것은 그대들의 임무이다.
>
> ㄷ. 그대에게 드립니다. 받아 주소서.

'그대'는 '당신'과 같이 친근하게 쓰이기는 하나 '당신'이라고 하기가 좀 어색할 때 쓰는 것 같다.

3.2.3. '자네'의 쓰임4)

'자네'의 쓰임은 그 범위가 넓은데, 거의 모든 경우에 쓰인다. 형이 아우에게, 손위 동서가 손아래 동서에게, 시누나가 손아래

---

4) 이에 대하여는 여증동, 『한국가정언어』(1991)에 의지할 것임을 밝혀 둔다.

올케에게, 올케가 손아래 시누이에게 '자네'를 쓴다.

(35) ㄱ. ㉠ 형님, 오늘은 무슨 일을 하시겠소.

　　　 ㉡ 자네는 집에 있게, 나만 밭을 매겠네.

　 ㄴ. ㉠ 형님, 시장 갔다 올게요. (손아래 동서가)

　　　 ㉡ 자네, 시장 가면 빨래비누 몇 장 사다 주게. (손위 동서가

　　　　 손아래 동서에게)

　 ㄷ. ㉠ 자네, 잘 있었나? (시누나가→손아래 올케에게)

　　　 ㉡ 자네, 별고 없었는가? (올케가→손아래 시누에게)

장인, 장모, 처삼촌, 처숙모가 사위, 질서에게 '자네'를 쓴다.

(36) ㄱ. 자네, 잘 있었는가? (장인→사위)

　 ㄴ. 김 서방, 자네 왔는가? (처삼촌→질서)

　 ㄷ. 자네, 별고 없었는가? (장모→사위)

처남이 매부에 대하여는 물론, 처가 쪽의 남자들은 그 췌객에 대하여 '자네'를 쓴다.

(37) ㄱ. 자네는 그간 별고 없었나? (처남)

　 ㄴ. 박 서방, 자네 잘 있었나? (처가 쪽 남자가)

타성의 어른이 손아래 사람에게 '자네'를 쓴다.

(38) ㄱ. 자네, 어디 갔다 오는가?

ㄴ. 자네 농사는 참 잘 되었네.

남편이 부인에 대하여 '자네'를 쓴다.

(39) 자네는 내일 친정에 다녀 오지.

시삼촌이 질부에 대하여, 외삼촌이 생질부에 대하여 '자네'를 쓴다.

(40) ㄱ. 자네는 어디 갔다 왔나? (시삼촌이)

　　　ㄴ. 자네 잘 있었는가? (시외삼촌이)

종제, 재종제, 삼종제, 족제(10, 12, 14촌, …)에게 '자네'를 쓴다.
고종, 종고종, 외사촌, 외육촌, 이종에게 '자네'를 쓴다.
시사촌댁, 시육촌댁, 시팔촌댁에게 '자네'를 쓴다.
종동서, 재종동서, 삼종동서에게 '자네'를 쓴다.
시고종댁, 시종고종댁, 시외사촌댁, 시외육촌댁, 시이종댁에게
'자네'를 쓴다.

위에 제시한 이외에도 '자네'를 써야 할 경우가 있을 것이나, 조부
모, 부모, 숙부모, 처조부모는 자기 자녀, 조카, 질녀, 손서를 보고
'자네'라는 말은 쓰지 아니 한다.

3.2.4. '너'의 쓰임

아이들이 친구끼리 서로 '너'를 쓴다.

(41) ㄱ. 너는 학교 안 가니?

ㄴ. 나는 너와 같이 공부하고 싶어.

집안의 어른들이 손자, 손녀, 아들, 딸, 조카, 질녀, 생질, 기타 집안의 젊은이에게 '너'를 쓴다.

(42) ㄱ. 철수야, 너는 학교 가지 않느냐? (할아버지가)

ㄴ. 길동아, 너는 언제 서울 가지? (둘째아버지가)

선생이 초, 중, 고등학교 학생에게 '너'를 쓴다. 그러나 대학생에 대하여 교수가 '너'를 쓸 수 없고 '자네'를 써야 한다.

(43) ㄱ. 너는 왜 숙제를 하지 아니 하였지? (선생이)

ㄴ. 자네 언제 서울 갔다 왔지? (교수가)

타성의 어른이라도 어린이(초, 중, 고등학생 정도)에 대하여는 '너'를 쓸 수 있다.

(44) ㄱ. 너는 어디 갔더냐? (타성 어른이)

ㄴ. 나는 네가 제일 착하다는 말을 들었다. (타성 어른이)

3.3. 삼인칭 대명사의 쓰임

3.3.1. '당신'의 쓰임

삼인칭에 쓰이는 '당신'은 극존칭에 쓰인다.

(45) ㄱ. 우리가 가면, 당신들께서도 오시겠지.
ㄴ. 석가모니, 당신께서 크게 깨달으셨다.

3.3.2. '이이/이분, 그이/그분, 저이/저분'의 쓰임

이들은 같은 보통존칭이나 '이분, 그분, 저분'이 '이이, 그이, 저이'보다는 더 높여 말하는 셈이 된다.

3.4. 재귀대명사의 대용 표현

재귀대명사는 어느 인칭 할 것 없이 앞에 한 번 말한 사람을 다시 돌이켜 가리키는 대명사를 말하는데, '저, 남, 자기, 자신, 자기자신, 당신' 등이 있다. 그 쓰임은 다음과 같다.

3.4.1. '저'의 쓰임[5]

'저'에는 세 가지가 있는데 첫째는, 일인칭의 '저我'이요, 둘째는

---

5) '저'는 짐승에 대하여도 쓰이는 일이 있으나 극히 제한되어 쓰인다.
  예 이 개는 제 주인을 잘 따른다.

삼인칭의 '저彼'이며 셋째는 통칭의 '저自己, 自身'이다. 재귀대명사의 근본은 삼인칭의 '저'인데 말할이가 스스로를 낮추어 말할 적에는 그것으로 일인칭으로 삼아서 재귀칭의 뜻으로 쓰게 된다.[6]

> (46) ㄱ. 나도 제 허물을 압니다.
>
> ㄴ. 너도 제 이익만 생각지 말라.
>
> ㄷ. 철수도 제 속은 따로 있다.

(46ㄱ)의 '제'는 '나의'를 나타내고 (46ㄴ)의 '제'는 '너의'를 나타내며 (46ㄷ)의 '제'는 '철수의'를 나타낸다. (46ㄱ~ㄷ)에서 보면 '저'는 재귀대명사로 쓰일 때는 '제'로 쓰인다.

3.4.2. '남'의 쓰임

> (47) ㄱ. 네(그)가 왜 남(나)의 것을 가져 가느냐?
>
> ㄴ. 그이가 왜 남(너)의 옷을 입느냐?
>
> ㄷ. 내가 왜 남(저 사람)의 것을 가지려고 하겠느냐?

3.4.3. '자기, 자신, 자기자신'의 쓰임

3.4.3.1. '자기'와 '자신'의 차이점

가) '자신'은 가리킴(인칭)에 관계없이 대명사 바로 다음에 쓰일

---

6) 최현배, 『우리말본』, 정음문화사, 1983, 235쪽에 의거함.

수 있으나 '자기'는 일인칭, 이인칭에는 쓰이지 못한다.

(48) ㄱ. 너(나, 그)도 자신의 일을 잘 알고 있다.
ㄴ. *너(나)는 자기의 일을 잘 알고 있다.
ㄷ. 그는 자기의 일을 잘 알고 있다.

나) '자신'은 사람단수명사 바로 다음에 쓰일 수 있으나 '자기'는 그렇지 못하다. 이때 단수명사 뒤에 조사가 쓰일 수도 있고 그렇지 않을 수도 있다.

(49) ㄱ. 영수는 철수가 {자신, *자기}이/가 일하게 하였다.
ㄴ. 철수는 영미 {자신, *자기}에게 책을 주었지?

(49ㄱ~ㄴ)에서 보듯이 '자신' 앞에 사람단수명사가 거듭 쓰일 수 있는데, 앞의 '철수'에는 조사가 쓰이기도 하고 안 쓰이기도 하며, 뒤의 영미에는 조사가 쓰이지 아니 하였음을 보이고 있다.

3.4.3.2. '자기', '자신', '자기자신'의 쓰임

이들의 쓰임이 제일 문제가 되는 경우는 내포문에 쓰일 때이다. 왜냐하면, '그 선행사를 어느 것으로 보아야 하는가?' 하는 문제가 있기 때문이다. 따라서 여기서는 내포문에서의 이들의 쓰임을 주로 다루기로 하겠다.

가) 내포문에서 '자기', '자신'이 그 바로 뒤에 조사 '은/는', '이/가'

를 취하면 그 선행사는 '자기/자신' 바로 앞의 단수명사가 되며 '자기자신'은 그 의미상 그 바로 앞의 인칭 단수명사가 선행사가 된다.

(50) ㄱ. 철수는 영희가 {자기는, 자신은} 잘난 것으로 {알고 있더라고, 알고 뽐내더라고} 말하였다.

ㄴ. 철수가 영희는 {자기가, 자신이} 착한 사람으로 알고 있더라고 들었다.

ㄷ. 철수가 영희는 {자기가, 자신이} 능력이 있는 것으로 알더라고 들었다.

ㄹ. 철수가 영희는 자기자신이 착한 사람이라고 알고 있더라고 하였다.

나) 내포문에서 '자기, 자신, 자기자신' 뒤에 목적격조사가 오면 '자기'는 두 가지 뜻으로 이해되어 애매하나, 나머지 둘은 그렇지 아니 하다. 그 의미 때문이다.

(51) ㄱ. 철수는 영희가 자기를 사랑한다고 믿고 있다.

ㄴ. 철수는 영희가 자신을 사랑하다고 믿고 있다.

ㄷ. 철수는 영희가 자기자신을 사랑하고 있다고 믿는다.

(51ㄱ)의 '자기'는 그 자체를 뜻과 문장 전체의 뜻으로 보아 그 선행사가 '철수'로 보아지며, (51ㄴ)은 '자신'의 뜻으로 보아 그 선행사는 '영희'로 보아진다. 그런데 (51ㄷ)의 '자기자신'은 보기에 따라서는 그 선행사를 '영희'로 볼 수 있다. 이럴 때는 '자기, 자기자신' 그 자체의 뜻에 따라 그 선행사를 정해야 한다.

다) 내포문에서 재귀대명사 뒤에 보조조사 '이야말로, 조차, 마저, 까지, 만' 등이 올 때도 그 선행사가 어느 것인지 애매할 때가 있다.

(52) ㄱ. ㉮ 철수는 영희가 자기야말로 {조차, 마저, 까지, 만} 능력이
　　　　　 있는 것으로 믿는다고 말하였다.
　　　 ㉯ 철수는 영희가 자기야말로 {조차, 마저, 까지, 만} 잘 났다
　　　　　 하더라고 말하였다.
　　 ㄴ. 철수는 영희가 자신이야말로 {조차, 마저, 까지, 만} 능력이
　　　　 있는 것으로 믿더라고 말하였다.
　　 ㄷ. 철수는 영희가 자기자신이야말로 {조차, 마저, 까지, 만} 능력이
　　　　 있는 것으로 믿는다고 말하였다.

(52ㄱ)의 ㉮의 선행사는 '철수'로도 볼 수 있고 '영희'로도 볼 수 있어 애매하나 '영희'를 가리키고 ㉯는 선행사가 '영희'임은 내포문의 서술어 '잘 났다 하다'로 미루어 알 수 있다. (52ㄴ~ㄷ)에서의 선행사는 재귀대명사 그 자신의 뜻에 따라 '영희'임이 분명하다.

라) '자기자신'은 삼인칭에 쓰이고 '자신'은 일인칭, 이인칭, 삼인칭에 쓰이며 '자기'는 삼인칭에만 쓰인다. 그리고 '누구'는 '자기, 자신, 자기자신' 등과 다 같이 쓰일 수 있다.

(53) ㄱ. ㉮ *너도 자기자신의 잘못을 알아라.
　　　 ㉯ 그도 자기자신의 잘못을 안다.
　　 ㄴ. ㉮ 나도 나 자신의 장점을 알고 있다.
　　　 ㉯ 너도 너 자신의 일을 알지?

        ㉴ 그는 (그) 자신의 잘못을 모르고 있다.

   ㄷ. ㉮ 그는 자기도 이 일을 할 수 있다고 한다.

        ㉯ 그도 자기의 일을 해야 한다.

   ㄹ. 누구든지 자기{자신, 자기자신}의 잘못을 아시오.

마) 재귀대명사가 내포문에 쓰이어 어느 것이 그 선행사인지 애매할 때는 문맥에 의하거나 아니면 내포문의 서술어나 또는 내포문의 서술어에 따라 결정하기도 하나, 대체로 그 바로 앞의 단수명사 또는 대명사가 선행사가 된다.

(54) 철수는 영희가 자기를(자신을) 너무 잘났다 한다고 흉을 보았다.

위에서 '자기', '자신'의 선행사는 '영희'임이 분명한데 그것은 밑줄친 내포문의 서술어에 기인하기도 하기 때문이다.

3.4.4. '당신'의 쓰임

재귀대명사 '당신'은 일인칭과 이인칭에는 쓰일 수 없고 삼인칭에만 쓰일 수 있는데 극존칭에 쓰인다.

(55) ㄱ. ㉮ *나도 당신 일이나 하면 좋겠다.

        ㉯ 아버지도 당신 일을 먼저 해 놓으시면 좋겠다.

   ㄴ. 선생님은 당신 몸은 돌보지 않으신다.

(55ㄱ)의 ㉮가 성립될 수 없는 까닭은 '나'를 '당신'이 받을 수 없

기 때문이다. (55ㄱ)의 ㉯와 (55ㄴ)에서 보아 알 수 있듯이 '아버지'
와 '당신', '선생님'과 '당신'에서의 '당신'은 극존칭이다. (55ㄱ) ㉯의
경우는 '아버지는 아버지의 일을 먼저 해 놓으시면 좋겠습니다'는
식으로 말함이 예사이다.

제3장

새국어사전에서 조사한 관형사

1. 국어의 관형사

국어의 관형사에는 토박이말인 관형사와 한자말에 '-적' 접미사를 붙인 것의 두 가지가 있는데, 편의상 '-적'이 붙어 된 관형사를 "적-관형사"라 부르기로 하겠다. "적-관형사"는 그 수가 많아서 여기서 다룬 것은 460개가 된다. 우리말의 관형사 중 토박이말 관형사는 그 수가 너무 적다. 모두 76개 정도밖에 안 된다.

2. 관형사의 특징

관형사란 체언 앞에 와서 그 체언을 매기는 구실을 하는 한 동아리의 품사를 말한다. 관형사는 굴절을 하지 않으면서 오로지 체언만을 매기는 것이 그 특징이다.

> (1) ㄱ. 이 책이 역사 책이다.
>
>   ㄴ. 저 사람이 기술자이다.

(1ㄱ~ㄴ)에서 '이, 저'가 관형사로서 명사 '책'과 '사람' 앞에 와서 그들을 매기고 있다. 그러면서 굴절을 전혀 하지 않았다. 서술어가 체언을 매기기 위해서는 굴곡을 하여 관형법이 되어야 하나 관형사는 그렇지 아니 한다. 그런데 지시관형사 '이', '그', '저'는 '요', '고', '조'의 작은말이 있음이 특징이다.

3. 관형사의 구실

첫째, 관형사는 명사, 대명사, 수사를 모두 매기는 구실을 한다.

> (2) ㄱ. <u>새</u> 옷을 입어라.
>
>   ㄴ. <u>이</u> 셋을 나에게 주시오.
>
>   ㄷ. <u>어느</u> 누구도 놀라지 않을 수 없었다.

(2ㄱ~ㄷ)의 밑줄 그은 관형사는 각각 명사 '옷', 수사 '셋', 대명사 '누구'를 매기고 있다.

둘째, 지시관형사는 체언을 매기는 여러 관형사 중에서 제일 앞에 와서 체언을 매긴다.

(3) ㄱ. <u>이</u> 세 송이를 주시오.

　　ㄴ. <u>저</u> 새 옷을 좋아한다.

셋째, 지시관형사는 형용관형사를 꾸민다.

(4) ㄱ. 이 새 옷은 누구의 것이냐?

　　ㄴ. 저 헌 책은 소중한 것이다.

　　ㄷ. 그 모든 잡지를 한데 모아라.

4. 관형사의 갈래

관형사는 토박이말로 된 것과 한자말로 된 것으로 가를 수 있다. 그러나 그 뜻에 따라 형용관형사와 지시관형사의 두 가지로 가르는 것이 일반적이다.[1]

4.1. 형용관형사

이는 그 뒤 체언의 성질, 모양 등 그 체언의 속성이 어떠함을 실질적으로 나타내는 관형사이다.

(5) 새, 헌, 첫, 옛, 여러, 기나긴, 외, 온, 각, 왼, 오른, 뭇, 딴, 단(單),

　　외딴, 온갖, 진(眞), 가(假), 공(公), 사(私), 순(純), 잡(雜), 만(滿),

---

1) 최현배, 『우리말본』(열 번째 고침판), 정음문화사, 1983, 578~579쪽.

별의별, 일대, 전(全), 현(現) 등이 있다.[2]

(6) ㄱ. <u>옛</u> 어른의 말씀은 모두 옳다.

　　ㄴ. 너의 <u>첫</u> 사랑에 대하여 듣고 싶다.

　　ㄷ. <u>순</u> 생맥주를 한자 주시오.

　　ㄹ. 옥수수밭은 <u>일대</u> 장관이었다.

　　ㅁ. 우리의 힘을 <u>전</u> 세계에 드높이자.

4.2. 지시관형사

말할이가 어떤 대상을 직접 가리켜서 말할 때 쓰이는 관형사인데 그 가리킴의 확실함과 확실하지 않음에 따라 정칭과 부정칭의 두 가지로 나눈다.

(7) ㄱ. 정칭

　　㉮ 토박이말: 이, 이까짓, 그, 그까짓, 저, 저까짓, 요, 요까짓, 고, 고까짓, 조, 조까짓, 여느.

　　㉯ 한자말: 해(該), 귀(貴), 본(本), 타(他), 동(同), 현(現), 내(來), 전(前), 후(後).

　　ㄴ. 부정칭

　　㉮ 토박이말: 아무, 어느, 무슨, 웬.

　　㉯ 한자말: 모(某).

---

2) 정인승, 『표준고등말본』, 신구문화사, 1956, 144~145쪽 참조.

위의 지시관형사는 가리킴 구실은 물론 말받기 구실과 강조 구실을 한다.

(8) ㄱ. 여기에 많은 책이 있다. <u>이</u> 중에서 좋은 것을 하나 골라 가거라.

　　ㄴ. <u>저</u> 일을 어떡하노? 큰일 났구나.

　　ㄷ. 조 못된 사람이 어디 있나.

(8ㄱ)의 밑줄 친 '이'는 '많은 책'을 받으므로 앞말받기(앞조응)이요, (8ㄴ)의 밑줄 친 '저'는 글 밖의 말받기이므로 밭말받기(밭조응)이다. (8ㄷ)의 '조'는 강조하기 위해서 쓰인 것이다.

여기서 하나 덧붙일 것은 종래 수관형사는 품사 분류에서 수사로 처리하였기 때문에 여기서는 다루지 아니 한다.

위에 설명한 것은 글쓴이의 『21세기 국어 형태론』의 것을 그대로 따라온 것인데 여기서는 관형사에 따라서 토박이말 관형사와 한자말 관형사의 둘로 크게 가르고 토박이말 관형사는 형용관형사, 지시관형사, 수관형사의 셋으로 가른다. 그리고 한자말 관형사는 수관형사와 형용관형사의 둘로 나눈다. 이 분류를 간단히 표로 보이면 다음과 같다.

다음에서 『우리말사전』에서 통계를 낸 관형사를 위의 표에 따라서 분류하기로 한다.

5. 관형사의 분류

5.1. 토박이말 관형사

5.1.1. 형용관형사

갖은: 갖가지의 또는 온갖.

딴: 관계없이 다른.

매: 하나하나의 모든.

뭇: 여러 또는 많은.

별: 보통과 다른 게 두드러진.

별별: =별의별.

새: 새로운.

만: 제 돌이 꽉 찬.

아무: 아무런 또는 어떠한의 뜻으로 하는 말.

약(約): 수와 관련되는 어떤 말 앞에서 쓰이어 "대강", "대략"의 뜻을 나타낸다.

어떤: ① "어떠한"의 준말. (예) 어떤 경우에도 진상을 말해야 한다. ② 여럿 가운데의 일정하지 않은 하나인. (예) 돈, 명예, 정직 중에서 어떤 것이 제일 좋은가?

여느: 그 밖의 예사로운 또는 다른 보통의.

온근: 옹글게 된 그대로의.

오라질: '오라로 묶이는 벌을 받아야 할'의 뜻으로 욕하는 말.

　　　(예) 오라질 놈.

온가지: →온갖.

온: 전체의 또는 전부의 뜻.

외딴: 따로 떨어져 있는.

이내: '나의 몸'의 힘줌말.

일제: 여럿이 한시에 하는.

5.1.2. 지시관형사

5.1.2.1. 잡힌 지시관형사

그딴: 그 따위의.

요: "이"를 얕잡거나 귀엽게 또는 축소하여 일컫는 말.

이: 말하는 이에게 가까이 있거나 바로 전에 말하였거나 알려진 사물임을
　　　가리키는 말.

요까짓: 겨우 요 정도밖에 아니 되는. 🔘이까짓.

이까짓: 겨우 이 정도밖에 되지 못하는. 🔘요까짓.

이런: "이러한"의 준말. 🔘요런.

요런: "요러한"이 줄어든 말. 🔘이런.

저: 말하는 이에게서 떨어져 있는 사물을 가리키는 말. 🔘조.

저런: "저러한"의 준말. 🔘조런.

저까짓: 겨우 저만한 정도의. 🔘조까짓.

조: "저"를 얕잡거나 귀엽게 또는 축소하여 일컫는 말. 🔘저.

조까짓: 겨우 조마한 정도의.

조런: "조러한"이 줄어든 말. 〈큰〉저런.

저렇게: "저러하게"의 준말.

    (예) 저렇게 예쁜 처녀가 어디 있을까?

네까짓: 너처럼 하잘 것 없는.

그깟: "그까짓"의 준말.

그까짓: 겨우 그만한 정도의.

5.1.2.2. 안잡힌 지시관형사

아무아무: 어떠어떠한.

아무: "아무런" 또는 "어떠한"의 뜻으로 하는 말.

아무런: "아무러하다"의 줄어든 말.

어느: 여럿 가운데의 어떤.

어떤: "어떠한"의 줄어든 말.

이런저런: 이러하고 저러한.

웬: "어떠한", "어찌된"의 뜻을 나타내는 말.

5.1.3. 수관형사

5.1.3.1. 잡힌 수관형사

너: "네"의 바뀐 말.

    (예) 너 돈. 너 말.

넉: "네"의 바뀐 말.

(예) 넉 달. 넉 냥.

네: "넷"의 뜻.

    (예) 네 가지. 네 마리.

닷: "다섯"의 준말.

    (예) 닷 섬. 닷 말.

두: "둘"의 뜻.

두어: 두엇의.

서이: →세.

서: "세"의 바뀐 말.

    (예) 서 돈. 서 말.

석: "세"의 바뀐 말.

    (예) 석 달. 석 냥. 석 섬.

세: "셋"의 뜻.

    (예) 세 개. 세 사람.

엿: "ㄴ, ㄷ, ㅁ, ㅂ, ㅅ, ㅈ" 들이 첫소리인 몇몇 단어 앞에 쓰이어 여섯임을
    나타내는 말.

    (예) 엿 되. 엿 말.

일개: 한낱.

한낱: ① 단지 하나의. ② 하잘 것 없는. ⑪일개.

한: ① 하나의 뜻. ② 대략의 뜻. ③ 같은의 뜻. ④ 어떤, 어느의 뜻.

대: 다섯의 뜻. 길이를 나타내는 단위인 "자" 앞에 쓰인다.

    (예) 대 자.

5.1.3.2. 안잡힌 수관형사

두서너: 두서넛의.

두어서너: =두서너.

몇: 확실하지 아니 한 수효를 말할 때 체언 앞에 쓰이는 말.

몇몇: "몇"의 힘줌말.

모두: 모아서 다.

모든: 여러 가지의, 전부의.

스무남은: 스물 남짓한.

여러: 수효가 많은.

예수남은: 예순 남짓. 예순이 조금 더 되는 수.

5.1.4. 시간관형사

옛: 지나간 때의.

오랜: 동안이 오래된.

5.1.5. 방향관형사

오른: 오른쪽의 뜻. 빤왼. 町바른.

바른: 오른.

왼: 왼쪽의 뜻. 빤오른.

5.2. 한자말 관형사

5.2.1. 형용 한자말 관형사

가공적(架空的): 터무니없는.

가상적(假想的): 어림으로 생각하는.

가정적(家庭的): 가정생활을 소중히 여기는.

가정적(假定的): 가정하는.

가족적(家族的): 가족끼리의 생활에서와 같은.

간접적(間接的): 간접으로 하거나 되는.

감각적(感覺的): 감각하거나 감각을 잘 나타내는.

감상적(感傷的): 지나치게 느끼고 쉽게 슬퍼하는.

감성적(感性的): 감성이 작용하는 또는 감성이 예민한.

강압적(强壓的): 강제로 누르는 방식으로 하는.

강제적(强制的): 강제하는.

개괄적(概括的): 개요를 잡아 한데 뭉뚱그리는.

가변적(可變的): 변할 수 있거나 변하는.

개성적(個性的): 개성이 뚜렷한.

객관적(客觀的): 객관으로 존재하거나 객관에 바탕을 둔.

거시적(巨視的): 어떤 대상을 드러내는. 전체적 구조로 크게 보는. ⑪미시
　　　적.

거시적(擧市的): 모든 시가 하거나 모든 시가 할 만한.

거족적(擧族的): 온 겨레가 다 같이 힘을 모으거나 참가하는.

격정적(激情的): 격정을 나타내는.

결정적(決定的): 무엇을 결정지을 정도로 중요한.

경이적(驚異的): 놀랍고 이상히 여길 만한.

계절적(季節的): 계절을 따라 일어나거나 되는.

공간적(空間的): 공간에 속하거나 공간의 성질을 띤.

공격적(攻擊的): 공격하는.

공동적(共動的): 둘 이상이 함께 하거나 관계되는.

공리적(公利的): 자기의 공명과 이욕만을 생각하거나 구하는.

공상적(空想的): 아무런 근거도 없거나 이루어질 가능성이 없는.

공학적(工學的): 공학에 관련되는.

과도기적(過渡期的): 과거도의 특징을 띤.

과학적(科學的): 과학의 이치나 체계에 맞는.

관료주의적(官僚主義的): 관료주의를 내세우거나 부리는.

관용적(慣用的): 널리 습관적으로 쓰이는.

국가적(國家的): ① 나라에 관계되거나 속하는. ② 나라가 하거나 나라에
　　서 하는.

국부적(局部的): 한 부분에만 있거나 일어나는.

굴욕적(屈辱的): 굴욕을 당하거나 느끼게 하는.

근시안적(近視眼的): 일의 앞날이나 전체를 내다보지 못하고 눈앞의 부분
　　적인 것에만 사로잡힌.

긍정적(肯定的): 긍정되거나 긍정할 만한.

기계적(機械的): 기계를 써서 하는.

기하급수적(幾何級數的): 거듭할수록 수량이 더욱 큰 비율로 많아지는 것.

기형적(畸形的): 기형으로 된.

남국적(南國的): 남쪽나라에 해당하는 또는 남쪽나라다운.

남성적(男性的): 남성다운. 옌여성적.

내벌적(內罰的): 일이 뜻대로 안 되거나 실패할 때 그 탓을 자기에게 돌리

는. (예) 내벌적 태도. ⓑ자발적.

내성적(內省的): 겉으로 나타내지 않고 마음속으로만 생각하는.

내적(內的): 내부에 관한.

노골적(露骨的): 그대로 숨김없이 드러내는.

노예적(奴隸的): 노예와 같은.

논리적(論理的): 논리에 맞는.

능률적(能率的): 능률을 많이 내거나 능률이 많이 나는.

다각적(多角的): 여러 부분이나 방면에 걸친.

단(單): 수와 관련되는 명사 앞에서 "오직, 다만, 단지"의 뜻.

    (예) 단 한 명.

단계적(段階的): 일이 차례를 따라 나아가거나 차례대로 나누이는.

단독적(單獨的): 단독으로 하는.

단말마적(斷末魔的): 단말마와 같은.

단속적(斷續的): 끊어졌다 이어졌다 하는.

단정적(斷定的): 단정하는.

당(當): 바로 이. 바로 그.

단위적(單位的): 마땅히 그렇게 하여야 하는.

당파적(黨派的): 당파로 갈리는.

대국적(大局的): 크고 대체적인 판국에 따르는.

대국적(大國的): 큰 나라다운.

대내외적(對內外的): 나라나 사회 따위의 안팎에 두루 관련되는.

대내적(對內的): 나라나 사회 따위의 안에 관련되는.

대대적(大大的): 규모가 썩 큰.

대략적(大略的): 기본이 되는 큰 줄거리로 이루어진.

대량적(大量的): 분량이나 수량이 아주 많은.

대륙적(大陸的): ① 대륙이나 대륙에 딸린 것들에만 특별히 있는. ② 성질이 대범하고 인내심이 센.

대외적(對外的): 외부나 외국에 상관하는.

대체적(大體的): 일이나 내용의 기본인 큰 줄거리로 된.

대칭적(對稱的): 대칭을 이루고 있는.

대폭적(大幅的): ① 수량의 줄거리나 느는 차이가 몹시 큰. ② 어떤 일의 이루어지는 범위가 몹시 넓은.

대표적(代表的): ① 어떤 사물의 특징을 가장 잘 나타내어 본보기가 될 만한. ② 어떤 사물적 가운데서 으뜸이 되는.

도발적(挑發的): 도발하거나 또는 도발하는 것과 같은.

도식적(圖式的): 도식과 같은.

도의적(道義的): 도의가 있는.

도전적(挑戰的): 도전으로 보이거나 인정되는.

도피적(逃避的): 도망하는 것과 같은.

독보적(獨步的): 남이 따를 수 없이 뛰어난.

독선적(獨善的): 독선에 치우친.

독자적(獨自的): ① 남과 어울리거나 남에게 기대지 않고 홀로 하는. ② 남과 같지 않고 혼자만의 독특한.

독단적(獨斷的): <청>독단으로 하는.

동질적(同質的): 질이 같은.

모(某): 아무. (예) 모 단체.

모범적(模範的): 모범이 될 만한.

무비판적(無批判的): 옳고 그름을 판단하지 않는.

민속적(民俗的): 민속에 관한.

반민족적(反民族的): 제 민족에 반역이 되는.

반민주적(反民主的): 민주주의에 반대되는.

반사회적(反社會的): 사회의 진보 발전에 반대되는 성질을 띤.

반정부적(反政府的): 정부를 반대하거나 정부의 시책과 어긋나는.

발전적(發展的): 발전하는 것으로 되는.

방관적(傍觀的): 방관하는.

배타적(排他的): 남을 배척하는.

법칙적(法則的): 법칙의 성질을 띤.

변태적(變態的): 변태에 딸리는.

보조적(補助的): 보조가 되거나 보조가 될 만한.

보충적(補充的): 보충이 되거나 보충이 될 만한.

복고적(復古的): 복고의 경향을 띤.

본성적(本性的): 본성으로 되는.

분석적(分析的): 분석해서 하는.

불균형적(不均衡的): 불균형한.

비공식적(非公式的): 공식적이 아닌.

비전문적(非專門的): 전문으로 하지 않거나 전문에 딸리지 않는.

독점적(獨占的): 독차지 하는.

독창적(獨創的): 스스로 새롭고 독특한 것을 생각해 내거나 만들어 내는.

돌변적(突變的): 갑자기 달라지는.

동(同): 위에 말한 것과 같은. (예) 동 학년.

동물적(動物的): 본능대로만 행동하는 동물 같은.

동양적(東洋的): 동양의 특수한.

동적(動的): 움직이는.

동정적(同情的): 동정하고 있는.

동지적(同志的): 동지로서의 또는 동지다운.

말초적(末梢的): 맨 끄트머리의.

망국적(亡國的): 나라를 망하게 하는.

매혹적(魅惑的): 매혹하는 힘이 있는.

맹목적(盲目的): 아무 분간 없이 덮어 놓고 행동하는.

명령적(命令的): 명령하는 투로 하는.

모모한(某某-): 아무아무하고 손잡을 만한 준재가 두드러진.

　　(예) 모모한 재주꾼들이 다 모였다.

모순적(矛盾的): 서로 모순된.

모욕적(侮辱的): 깔보고 욕되게 하는.

모험적(冒險的): 위험을 무릅쓰고 하는.

목가적(牧歌的): 목가처럼 평화롭고 한가한.

몽환적(夢幻的): 꿈이나 환상과 같은.

무벌적(無罰的): 일이 잘못되었을 때 그 책임을 아무에게도 묻거나 탓하지

　　아니 하는.

무의식적(無意識的): 무의식으로 하는.

무조건적(無條件的): ① 아무런 조건도 없는. ② 절대적인.

무형적(無形的): 꼴이 없는. ⑪유형적.

문법적(文法的): 문법에 관한.

문화적(文化的): 문화와 관련된.

물리적(物理的): 물리에 관한.

물리학적(物理學的): 물리학의 법칙이나 원리에 맞거나 이를 바탕으로 된.

물적(物的): 물질적인.

미술적(美術的): ① 미술에 관련된. ② 미술에 어울리는.

미신적(迷信的): 미신에 관하거나 미신에 기초한.

미온적(微溫的): 태도가 미적지근한.

미적(美的): 아름다움에 관한.

미학적(美學的): 미학을 기초로 한.

민주적(民主的): 민주주의에 맞는.

민주주의적(民主主義的): 민주적.

민중적(民衆的): 민중을 위주로 하거나 민중에 의한.

반국가적(反國家的): 제 나라를 반대하거나 새 나라의 방침, 시책과 어긋
　　　나는.

반동적(反動的): 사회운동에 있어서 진보적 세력에 맞서서 대드는 경향이
　　　있는.

반항적(反抗的): 순하게 좇지 아니 하고 거슬러 대어드는.

발생적(發生的): 사물의 발생 및 생성과정에 관한.

발작적(發作的): 발작하는 것과 같은.

범국민적(凡國民的): 널리 국민 전체에 관계되는.

범죄적(犯罪的): 범죄의 행위로 되는.

변증법적(辨証法的): 변증법에 바탕을 두는 또는 변증법에 딸린.

변칙적(變則的): 변칙으로 되는.

병적(病的): ① 병이 있는 듯한. ② 정신적인 아닌 지나친.

본(本): 말하는 이의 편에서 "이"의 뜻.

본격적(本格的): 본격에 맞게 적극적인.

본능적(本能的): 본능에서 일어나는.

본질적(本質的): 본질을 이루는.

봉건적(封建的): 봉건제도나 봉건사상의.

부분적(部分的): 부분이 되는 또는 부분에 관계되는.

부수적(附隨的): 붙어 따르는.

부정적(否定的): 부정하거나 부정할 만한.

부차적(附次的): ＝이차적.

분절적(分節的): 마디나 절로 나누는.

불규칙적(不規則的): 불규칙한.

불법적(不法的): 법에 어긋나는.

비과학적(非科學的): 과학적이 아닌.

비관적(悲觀的): 비관하는.

비극적(悲劇的): 비극을 이루는 또는 비극처럼 비참한.

비논리적(非論理的): 논리에 맞지 않는.

비능률적(非能率的): 능률적인 아닌.

비량적(非量的): <철> 경험이나 추리·판단 등으로 따져 가며 점차적으로
　　　　느껴 아는(인식에 이르는).

비문화적(非文化的): 문화적이 아닌.

비생산적(非生産的): 생산적이 아닌.

비약적(飛躍的): ① 빠르고 눈부시게 발전하는. ② 올바르게 차례를 밟지
　　　　않고 껑충 뛰는.

비위생적(非衛生的): 위생에 좋지 않거나 알맞지 않은.

비이성적(非理性的): 이성적이 아닌.

비인도적(非人道的): 사람으로서의 도리에 어긋나는.

비정상적(非正常的): 정상이 아닌.

비타협적(非妥協的): 서로 양보하면서 뜻을 맞추도록 협의하지 않는.

비판적(批判的): 비판하는 처지에서 하는.

비평적(批評的): 비평하는 입자에서 하는.

비합리적(非合理的): 이치나 논리에 맞지 아니 하는.

비합법적(非合法的): 법률이 정하는 바에 어긋나는.

비현상적(非現象的): 현실과는 동떨어진.

비인간적(非人間的): 사람이라면 차마 할 수 없는.

사변적(思辨的): 순수한 이성에 의하여 인식하고 설명하는.

사상적(思想的): 어떠한 사상에 관계되는.

사실적(事實的): 실제의 상태를 그려내는 또는 그와 같은.

사적(史的): ＝역사적.

사회주의적(社會主義的): 사회주의에 관계되는.

산문적(散文的): 산문과 같은.

상관적(相關的): 서로 관련을 가지는.

상대적(相對的): 서로 맞서거나 비교되는 관계에 있는.

상상적(想像的): 상상에 의한.

상습적(常習的): 늘 버릇이 된.

상식적(常識的): 상식으로 되는.

상투적(常套的): 늘 버릇이 되다시피 된.

생득적(生得的): 타고난.

생리적(生理的): 생리에 알맞거나 그에 따르는.

생물적(生物的): 생물의 생리작용에 따르는.

생산적(生産的): 생산에 관계되는.

생활적(生活的): 생활과 관련되는.

서사적(敍事的): 서사의 성질을 띤.

서정적(抒情的): 서정성을 띤.

선도적(先導的): 앞에 서서 이끄는.

선동적(宣動的): 선동을 하는.

선언적(選言的): <논> 판단이 둘 이상의 빈사 가운데서 가리어 이루어지는.

선진적(先進的): 일정한 발전 수준에 비하여 앞서는.

선차적(先次的): 차례에서 먼저인.

선천적(先天的): 나면서부터 갖추고 있는.

선택적(選擇的): 여럿 중에서 골라 뽑는.

성격적(性格的): 성격에 관한.

성공적(成功的): 성공으로 여길 만한.

성적(性的): 성에 관계되는.

세계사적(世界史的): 세계 전체의 역사적 성격을 가지는.

세계적(世界的): 온 세계에 미치는.

세기말적(世紀末的): 사회가 부패와 퇴폐의 상태에 놓인.

세기적(世紀的): 세기에 걸치어 특기할 만한.

사실주의적(寫實主義的): 사실주의에 딸리는.

사회적(社會的): 사회에 관계되는.

산발적(散發的): 때때로 여기저기에서 일어나는.

산술적(算術的): 산술의 방법을 따른.

산업적(産業的): 산업에 관한.

상징적(象徵的): 무엇을 상징하는.

서민적(庶民的): 서민과 같은.

선험적(先驗的): <철> 경험에 앞서 선천적으로 있거나 이루어지는.

소극적(消極的): 활동적이지 못하고 박력이 모자라는. ⑲적극적.

소재적(素材的): 소재로 되는.

수적(數的): 숫자상으로 보는.

숙명론적(宿命論的): 숙명론에 바탕을 둔.

숙명적(宿命的): 타고난 운명에 의한. ⑲운명적.

순간적(瞬間的): 순간에 있는.

습관적(習慣的): 버릇이 된.

시간적(時間的): 시간에 관한.

시범적(示範的): 모범을 보이는.

신사적(紳士的): 신사다운.

야만적(野蠻的): 야만스러운.

야생적(野生的): 산이나 들에서 자라 길들지 않은.

야수적(野獸的): 야수와 같이 모질고 사나운.

양심적(良心的): 양심에 거리끼지 않는.

역동적(逆動的): 역동하는.

세부적(細部的): 자디잔 부분의.

세속적(世俗的): 세속을 벗어나지 못한.

소규모적(小規模的): 크기나 범위가 작은.

소승적(小乘的): 너무 좁고 작은 일에 얽매이는.

소아병적(小兒病的): 유치하고 극단적 성향의.

속물적(俗物的): 속물과 같은.

수동적(受動的): 남에게서 움직임을 받는.

수리적(數理的): 수학의 이론으로 되는.

시기적(時期的): 시기에 따르는.

시대적(時代的): 그 시대의 특징인.

시적(詩的): 사물이 시의 정취를 가진.

신경질적(神經質的): 신경질을 부리거나 또는 그와 같이 하는.

신비적(神秘的): 신비한 상태를 띤.

실리적(實利的): 실제로 이익이 되는.

실무적(實務的): 실무와 관계되는.

실용적(實用的): 실제로 쓰기에 알맞은.

실제적(實際的): 실제하는.

실증적(實證的): 경험적 사실의 관찰과 실험에 따라 적극적으로 증명하는.

실체적(實體的): 실체와 관계되는.

심적(心的): 마음에 관한.

악마적(惡魔的): 악마와 같은.

악질적(惡質的): 악질이거나 악질 노릇을 하는.

안정적(安定的): 안정한 상태로 되는.

암적(癌的): 큰 장애가 되고 있는.

압도적(壓倒的): 남을 넘어뜨리고 눌러 버릴 만한 정도의.

애국적(愛國的): 제 나라를 사랑하는.

애상적(哀傷的): 애상하는.

야만적(野蠻的): 야만스러운.

야성적(野性的): 교양 없이 성질이 거친.

야심적(野心的): 야심을 품은.

양성적(陽性的): 양성을 띠는.

언어적(言語的): 말로 하는.

여성적(女性的): 여성다운. 翻남성적.

여행용(旅行用): 여행에 쓰이는.

역설적(逆說的): 어떠한 이론을 역설하는 데 기본을 두는 것.

역학적(力學的): 역학의 원리나 성격을 띠는.

연속적(連續的): 연속하는.

연역적(演繹的): 연역으로 추리하는. 翻귀납적.

열성적(熱誠的): 열성을 다하는.

열정적(熱情的): 열정을 다하는.

염세적(厭世的): 세상을 싫어하는 경향이 있는.

영구적(永久的): 영구히 변하지 아니 할 만한.

영속적(永續的): 영속성이 있는.

영적(靈的): 신령스러운.

예비적(豫備的): 미리 갖추는.

예술적(藝術的): 예술성을 지니는.

외교적(外交的): 외교와 관계된.

외벌적(外罰的): 일이 뜻대로 안 되거나 실패할 때 그 탓을 남에게로 돌리는. ⑪내벌적.

외부적(外部的): 외부에 국한하거나 관계되는. ⑪내부적.

외적(外的): ① 외부에 관한. ⑪내적. ② 외부에서 일어나는. ⑪내적. ③ 물질적인, 육체적인. ⑪내적.

우선적(優先的): 남이나 다른 것보다 먼저 하는.

우연적(偶然的): 우연성에 의한.

우의적(友誼的): 우의가 있는.

우호적(友好的): 사이가 좋은.

운명적(運命的): ＝숙명적.

원시적(原始的): 원시 상태인.

원칙적(原則的): 원칙을 따르는.

위선적(僞善的): 겉으로만 착한 체하는.

위협적(威脅的): 으르고 협박하는.

유기적(有機的): 유기체 같은.

유물론적(唯物論的): 유물론에 바탕을 둔.

유형적(類型的): 유형에 딸리거나 유형을 이루는.

유혹적(誘惑的): 유혹하는 또는 유혹하는 듯한.

유희적(遊戱的): 놀이 삼아서 하는.

육체적(肉體的): 육체에 관한.

윤리적(倫理的): 윤리에 관한 또는 윤리를 따르는.

율동적(律動的): 율동성이 있는.

음성적(陰性的): 밖으로 나타나지 않는.

음악적(音樂的): 음악과 같거나 관계가 있는.

의례적(依例的): 예전부터 해 내려오는.

이례적(異例的): 보통과 다른.

이상적(理想的): 이상에 맞는.

이색적(異色的): 보통의 것과 특별히 다른.

이성적(理性的): 이성에 근거하거나 이성에 따르는.

이중적(二重的): 이중으로 되거나 하는.

이지적(理智的): 이지에 바탕을 두거나 이지의 힘이 센.

이차적(二次的): 이차와 같은. ⓐ부차적.

기록적(記錄的): ① 기록에 남아 있거나 남을 만한. ② 새 기록에 남을 만한.

기술적(技術的): 기술에 관하거나 기술에 의한.

기술적(記述的): 기술에 관한.

내부적(內部的): 내부에 관계가 되거나 한정되는. ⓐ외부적.

영웅적(英雄的): 영웅다운.

예외적(例外的): 예외에 속하는.

우발적(偶發的): 우연히 일어난.

원초적(原超的): =원시적

위압적(威壓的): ① 위엄이나 세력으로 누르는. ② 을러메는.

이기주의적(利己主義的): 이기주의에 바탕을 둔.

이론적(理論的): 이론에 관한 또는 바탕을 둔.

인도적(人道的): 사람으로서 지켜야 할 도리나 도덕에 관계되거나 바탕을 둔.

인문적(人文的): 인문에 관한.

인습적(因襲的): 인습에 젖은.

인위적(人爲的): 사람이 일부러 하는. ㉯인공적.

일률적(一律的): 모두 한결같은.

일방적(一方的): 한쪽으로만 치우친.

자생적(自生的): 스스로 나거나 생기는.

작(昨): 날짜 앞에 쓰이어 "어저께인"의 뜻을 나타내는 말. (예) 작 칠일.

작가적(作家的): 작가로서 가지는.

잠정적(暫定的): 임시로 정하는.

재미(在美): 미국에 가 있는.

이질적(異質的): 바탕이 다른.

인격적(人格的): 인격에 바탕을 둔.

인공적(人工的): 인위적.

인상적(印象的): 인상이 두드러진.

인적(人的): 사람으로의 또는 사람에 관한.

일괄적(一括的): 한데 뭉뚱그린.

일대(一大): 굉장한 또는 광대한.

일반적(一般的): 일반에 공통된.

일정(一定): 정해진.

일제(一齊): 여럿이 한시에 하는.

일차적(一次的): 첫 번째의.

일체(一切): 모든 또는 온갖.

입체적(立體的): 입체감을 주는.

자각적(自覺的): 스스로 느끼거나 깨닫는.

자극적(刺戟的): 자극을 주는.

자동적(自動的: 다른 힘을 빌리지 아니 하고 스스로 움직이거나 작용하는.

자립적(自立的): 스스로 하는.

자발적(自發的): 스스로 나서서 하는.

자벌적(自罰的): =내벌적.

자본주의적(資本主義的): 자본주의와 같거나 자본주의에 바탕을 둔.

자연적(自然的): 인공이나 인위를 더하지 않은 자연 그대로의.

자율적(自律的): 스스로 저를 통제하는 절제하는.

자의적(恣意的): 일정한 질서를 무시하고 제 멋대로 하는.

자전적(自轉的): 자전의 성질을 띠고 있는.

자조적(自嘲的): 스스로 자기를 비웃는.

자족적(自足的): 스스로 만족할 만한.

자주적(自主的): 남의 힘을 빌거나 간섭을 받거나 하지 않고 제 일은 제
　　　힘으로 하는.

자치적(自治的): 자치를 하는.

작위적(作爲的): 의식적으로 행동을 하는.

잠재적(潛在的): 잠재하는.

장기적(長期的): 장기간에 걸치는.

각(各): 각각의. 낱낱의. 따로따로의.

간헐적(間歇的): 이따금 한번씩 되풀이 되는.

감격적(感激的): 감격할 만한.

감정적(感情的): 감정에 치우치거나 휩싸이는.

개방적(開放的): 트이거나 열린.

개별적(個別的): 하나하나 따로인.

개인적(個人的): 개인에 딸리거나 관계되는.

개체적(個體的): 개체에 관계되거나 개체에 딸린.

재일(在日): 일본에 가 있는.

재정적(財政的): 재정에 관한.

저돌적(猪突的): 앞뒤를 헤아리지 않고 내닫거나 덤비는.

적대적(敵對的): 적대하거나 적대되는.

전(全): 주로 한자말 명사 앞에 쓰이어 "온", "모든"의 뜻을 나타냄.

전격적(電擊的): 번개와 같이 갑작스럽게 냅다 지르는 또는 그런 기세로 하는.

전근대적(前近代的): 전근대의 수순이나 상태에 있는.

전기적(傳奇的): 기이하여 세상에 전할 만한.

전략적(戰略的): 전략에 관계되는.

전설적(傳說的): 전설에 나오거나 전설로 전할 만한.

전술적(戰術的): 전술에 관한.

전제적(專制的): 전제의 방식을 쓰는.

전체적(全體的): 전체에 관계되는.

전투적(戰鬪的): 전투를 하는 것과 같은.

전형적(典型的): 전형이 될 만한.

절망적(絶望的): 모든 희망이 끊어지다 시피한.

점차적(漸次的): "점차"의 힘줌말.

정력적(精力的): ① 정력이 좋은. ② 정력을 드려 하는.

정서적(情緒的): 정서를 띤.

정언적(定言的): 아무 제약이나 조건 없이 내세우는.

정열적(情熱的): 정열에 붙타는.

정책적(政策的): 정책에 관한.

정치적(政治的): 정치에 관한.

전국적(全國的): 규모나 범위가 온 나라에 관계되는.

전반적(全般的): 전반에 걸치는.

전통적(傳統的): 전통으로 되는.

전폭적(全幅的): 전체에 걸쳐 남김 없이 완전한.

절대적(絶對的): 절대의 상태에 있는.

점진적(漸進的): 점차로 나아가는.

정기적(定期的): 일정한 시기나 기한을 정하고 하는.

정략적(政略的): 정략을 목적으로 하는.

정상적(正常的): 상태가 정상인.

정적(靜的): 정지 상태에 있는.

제반(諸般): 모든.

종국적(終局的): 마지막인 또는 끝판인.

중간적(中間的): 중간에 해당하는.

중성적(中性的): 중성을 띤.

중심적(中心的): 중심을 이루는.

지배적(支配的): 지배하는 또는 지배하는 것과 같은.

진보적(進步的): 진보하거나 진보를 꾀하는.

진취적(進就的): 진취의 기상이 있는.

차별적(差別的): 차별이 있는.

천부적(天賦的): 타고난.

천재적(天才的): 재주를 날 때부터 지니고 있어 남보다 훨씬 뛰어난.

초월적(超越的): 어떤 한도나 표준을 벗어나거나 뛰어넘어 있는.

초인간적(超人間的): ① 보통 사람으로서는 생각조차 할 수 없을 만큼 아주
　　　　뛰어난. ② 인간 세계를 벗어나 그 위에 있는.

초자연적(超自然的): 자연을 넘어서 있는 존재나 힘에 의한.

축차적(逐次的): 차례대로 좇아 하는.

치욕적(恥辱的): 치욕스러운.

침략적(侵略的): 침략과 같은.

제(諸): 한자말로 된 명사 앞에 쓰이어 "여러"의 뜻을 나타내는 말.

조직적(組織的): 여러 사물 사이에 유기적인 체계와 질서가 있는.

종교적(綜敎的): 종교에 관한.

종속적(從屬的): 종속되어 있는.

종족적(種族的): 어느 종족에만 있거나 온 종족에 관계되는.

종합적(綜合的): 종합하는.

주기적(周期的): 일정한 시간을 두고 되풀이 되는.

주도적(主導的): 주동적인 처지에 있는.

주동적(主動的): 주동의 구실을 하거나 주동인 자리에 있는.

주체적(主體的): 주체를 이루는 또는 주체가 된.

중립적(中立的): 중립의 태도를 취하는.

중점적(重點的): 어떤 것에 특히 중점을 두어서 하는.

중추적(中樞的): 중추가 되는.

즉각적(卽刻的): 즉각에 하는.

즉흥적(卽興的): 그 자리에서 기분 나는대로 하는.

지리적(地理的): 지리에 관한.

지리학적(地理學的): 지리학에 관계되는.

지방적(地方的): 지방에 한정되거나 지방에 관련된.

지사적(志士的): 지사와 같은.

지성적(知性的): 지성에 관한.

지역적(地域的): 지역에 관한.

지엽적(枝葉的): 중요한 본질적인 것이 아닌 부차적인 것. ㉶말초적.

지적(知的): 지식이나 지성에 관한.

직감적(直感的): 곧바로 느끼는.

직선적(直線的): 곧게 나아가는.

직설적(直說的): 곧바로 말하는.

직접적(直接的): 직접으로 하거나 되는.

진화적(進化的): 진화에 관한.

집약적(集約的): 하나로 모아서 뭉뚱그리는.

집중적(集中的): 한곳을 중심으로 모이거나 모으거나 하는.

찰나적(刹那的): 찰나와 같은.

창조적(創造的): 창조하는 특성이 있는.

천문학적(天文學的): ① 천문학에 기초한. ② 수가 엄청나게 큰.

천편일률적(千篇一律的): 천편일률의 성장을 띤.

철학적(哲學的): 철학에 기초한.

첨단적(尖端的): 첨단에 나서서 활동하는.

체계적(體系的): 체계를 이루는.

초보적(初步的): 초보인.

초인격적(超人格的): 초인간적.

초인적(超人的): 초인간적인.

총체적(總體的): 있는 것들을 통털어 합치거나 묶은.

추가적(追加的): 추가되는.

추상적(抽象的): ① 낱낱의 사물에서 공통되는 속성을 뽑아내어 종합한.
② 사실이나 현실과 동떨어져 막연하고 일반적인.

충격적(衝擊的): 충격을 주거나 받는.

충동적(衝動的): 충동을 일으키는.

타산적(打算的): 따져 헤아리는.

타성적(惰性的): 버릇이 굳어진.

탐욕적(貪慾的): 탐욕이 많은.

토속적(土俗的): 그 지방에만 특별한 풍속의.

통계적(統計的): 통계에 따른.

통속적(通俗的): 대중적이며 보편적인.

통일적(統一的): 통일되어 있는.

퇴영적(退嬰的): 나서지 않고 망설이는.

퇴폐적(頹廢的): 퇴폐한.

투쟁적(鬪爭的): 투쟁하는 성격을 띤.

특징적(特徵的): 다른 것에 비겨서 특별히 눈에 뜨이는 표적이 되는.

파괴적(破壞的): 파괴하는 성질을 가진.

파국적(破局的): 파국으로 되는.

파생적(派生的): 파생한.

편향적(偏向的): 한쪽으로 치우친.

평균적(平均的): 많은 수나 양에서 평균이 되는.

평면적(平面的): 겉으로 나타난 일반적인 사상만을 논의하거나 표현하거
　　　나 하는.

평화적(平和的): 평온하고 화목한.

포괄적(包括的): 사물을 있는 대로 다 한 테두리 안에 휩쓸어 넣는 방식의.

폭력적(暴力的): 폭력을 쓰거나 폭력으로 하는.

폭발적(爆發的): 갑작스럽게 터지어 일어나는.

표면적(表面的): 표면으로 드러난.

표현적(表現的): 표현하는.

필사적(必死的): 죽기를 결심하고 하거나, 죽을 힘을 다하는.

필수적(必須的): 꼭 필요로 하는.

학문적(學問的): 학문에 바탕을 둔.

학자적(學者的): 학자로서의.

결과적(結果的): 결과로 되는.

결사적(決死的): 죽기를 각오하고 온 힘을 다하는.

계몽적(啓蒙的): 계몽하거나 계몽하는 방식으로 하는.

고(故): 죽은이의 성명 앞에 쓰이는 "이미 세상을 떠난"의 뜻.

고립적(孤立的): 고립하는 또는 고립되어 있는.

고압적(高壓的): 억누르는.

고의적(故意的): 일부러 하는.

합리적(合理的): 이치나 이론에 맞는.

합목적적(合目的的): 목적에 맞거나 맞게 하는.

합법적(合法的): 법령이나 규정에 맞는.

핵심적(核心的): 핵심이 될 만한.

향락적(享樂的): 향락을 누리는.

향토적(鄕土的): 향토의 특성을 띠는.

허무적(虛無的): 허무한.

현(現): "현재"의 뜻을 나타내는 말.

혈연적(血緣的): 핏줄로 맺어진.

협동적(協同的): 협동하여 하는.

협조적(協助的): 서로 잘 어울려 힘을 합하는.

형식적(形式的): 실질보다 형식만을 주로 하는.

타협적(妥協的): 타협하려는 태도가 있는.

파행적(跛行的): 일이 순조롭게 되어 가지 않는.

편파적(偏頗的): 치우쳐서 공평하지 못한.

표준적(標準的): 기준이 되는.

풍자적(諷刺的): 풍자의 성질을 띤.

피상적(皮相的): 겉으로 드러나 보이는 현상에만 관계하는.

필연적(必然的): 반드시 그리 될 수밖에 없는.

학적(學的): 학문에서의.

해학적(諧謔的): 익살스럽고 풍자가 섞인 것과 같은.

행동적(行動的): 행동하는.

헌신적(獻身的): 헌신하는.

혁명적(革命的): 혁명을 일으키거나 혁명을 지향하는.

현학적(衒學的): 학식의 두드러짐을 자랑하는.

호의적(好意的): 호의로 하거나 호의에서 나온.

호혜적(互惠的): 서로 도와 이익되게 하는 것.

화학적(化學的): 화학에 근거하거나 딸리는.

활동적(活動的): 활동력이 있는.

획기적(劃期的): 어떤 분야에서 새로운 기원이나 시기를 열어 놓을 만큼
    두드러진.

후천적(後天的): 성질, 체질, 능력 따위가 생후에 얻어진.

호전적(好戰的): 싸우기를 좋아하는.

확정적(確定的): 확정된 상태인.

환상적(幻想的): 환상과 같은.

획일적(劃一的): ① 한결같은. ② 쪽 고른.

횡적(橫的): 어떤 사물에 횡으로 관계되는 상태인.

효과적(效果的): 효과가 있는.

효율적(效率的): 쓸모 있는 비율이 큰.

희망적(希望的): 잘 될 가능성이 있는 또는 그러한 가능성이 있는 것으로
    보는.

희생적(犧牲的): 희생하는 특성이 있는.

희화적(戲畵的): 희화와 같은.

고차적(高次的): 수준이나 정도가 높은.

공개적(公開的): 공개하는.

공적(公的): 사회의 여러 사람이나 단체에 두루 관계되는.

관습적(慣習的): 관습으로 되는.

광적(狂的): 미치거나 미쳤다 시피한.

국제적(國際的): 나라 사이에 관계되는.

국지적(局地的): 한 지역에 한정된.

극단적(極端的): 몹시 한쪽으로 치우치거나 극도에 달하는.

극우적(極右的): 극단적으로 우익사상이나 당파.

극적(劇的): 연극을 보는 것처럼 큰 긴장이나 감동을 불러일으키는.

근(近): 수량을 나타내는 말 앞에 쓰이어 그 수량에 "거의 가까운"의 뜻.

기능성(技能性): 기능이 있거나 기능을 필요로 하는.

기하학적(幾何學的): 기하학에 관하거나 바탕을 둔.

단면적(斷面的): 어떤 단면만을 나타내는.

대규모적(大規模的): 규모나 범위가 큰. 옌소뮤모적.

대승적(大乘的): =대국적. 옌소승적.

대중적(大衆的): 대중에 관한, 대중에 맞는.

도덕적(道德的): 도덕에 관한.

제4장

새국어사전에서 조사한 감탄사

1. 감탄사란?

문장 앞에서 독립성을 가지면서 말할이의 느낌을 나타내는 말로서 조사의 도움을 받지 않는 품사를 말한다. 감탄사는 본래 문장 앞에 오는 것이 원칙이나 경우에 따라서는 문장의 중간이나 끝에도 쓰이기도 한다.

(1) ㄱ. 아! 달도 밝다.

ㄴ. 너도 가자, 응.

ㄷ. 내가 말이야 어제 서울에 갔다.

2. 감탄사의 통어적 기능

1) 감탄사는 문장의 성분으로서 독립된 자격을 가진다.

    (2) ㄱ. 앗차 그걸 잊었군.

        ㄴ. 아, 달이 밝구나.

        ㄷ. 여보, 어디에 가시오.

  (2ㄱ~ㄷ)의 '앗차', '앗', '여보' 등은 각각 그 뒤에 오는 문장에 어느 정도의 꾸밈 구실을 하고 있다. 감탄사는 문장의 앞에서 그것을 꾸미는 구실을 하나, 그 꾸미는 작용이 그저 긴밀하지 아니 하며 문장의 짜임에는 그리 큰 관계가 없다. 그러면서 독립된 문장의 자격을 가진다.

    (3) ㄱ. ㉮ 너는 학교에 가느냐?

        ㉯ 예. (=그렇습니다. 저는 학교 갑니다.)

        ㄴ. ㉮ 그가 고시에 떨어졌다.

        ㉯ 아뿔사. (=참, 애석하구나.)

  (3ㄱ~ㄴ)의 ㉯는 홀로 문장의 자격을 가지고 있다. 즉 괄호 속의 문장 구실을 하고 있다.

  2) 감탄사는 경우에 따라서 그 자질상 문장의 중간이나 끝에 올 수도 있다.

(4) ㄱ. 그가 갔다. 아이구.

ㄴ. 그가 야아, 오는구나.

ㄷ. 어디 가시오. 여보.

(4ㄱ~ㄷ)에서 보는 바와 같이 이런 것이 감탄사의 통어적 특질이기도 하다.

3) 감탄사로서 서로 의사소통을 하는 일이 있다.

(5) ㄱ. 갑: 아이구, 아야.

을: 왜 그래.

ㄴ. 갑: 여보.

을: 왜.

갑: 어서요, 어서.

4) 아이고, 어이

슬픔을 나타내는 '아이고'는 조부모, 부모가 돌아갔을 때 곡하면서 내는 소리요, '어이'는 백숙부모, 종조부모 기타 사람이 돌아갔을 때 곡하며 내는 소리이다.

(6) ㄱ. 아이고, 아이고.

ㄴ. 어이, 어이.

3. '우리말사전'에서 찾아낸 감탄사

위의 것은 글쓴이의 『21세기 국어 형태론』에서 따온 것이다.

여기서는 위에 보인 것과 겹치는 것도 있을 것이나 사전에서 찾은 것을 모두 싣기로 하였으니 오해 없기를 바란다. 그리고 하나 덧붙여 둘 것은 여기서는 일일이 분류하지 않고 사전에서 찾은 차례대로 기술·설명할 것임을 밝혀 둔다.

가실랑은: 글을 읽거나 말을 할 때 거침없이 되어지지 않아서 내는 군소리.

거: "그것"의 뜻.

거봐: 어떤 일이 자기 말대로 되었을 때 "해" 하는 사람에게 일깨우는 뜻으로 하는 소리.

거봐라: 어떠한 일이 자기 말대로 되었을 때 "해" 할 상대에게 일깨우는 뜻으로 하는 소리.

거시기＝거시기: 말하고자 하는 사물의 이름이 얼른 떠오르지 않거나 바로 말하기가 거북할 때 그 대신으로 내는 소리.

걸음마: 아직 걷지 못하는 어린아이에게 걸음을 익히게 할 때 발을 떼어 놓으라고 시키는 소리.

게우쭈루: 조선 때 병조판서, 각 영문의 대장, 각 관찰사, 각 절도사, 그 밖의 병권을 가진 벼슬아치들의 행사에 호위하는 순령수가 지나가는 사람들에게 길을 비키라고 외치는 소리.

게저리게: 게 장수가 게를 팔려 다닐 때에 외치는 소리.

그렇지: 그와 같이 틀림없다는 뜻으로 하는 말.

글쎄다: "글쎄"의 힘줌말.

깜짝이야: 깜짝 놀랐을 때 내는 소리.

난장질(亂杖-): 난장을 맞음.

난장맞을: 일이 뜻대로 되지 않거나 못마땅하여 불쾌한 느낌으로 저주하는
　　　　말.

내괘: "내가 괴이하게 생각하였더니 과연 그렇구나"라는 뜻으로 이르는
　　　말. (예) 내괘! 심상치 않더니 기어이 일이 터졌군!

내더위: <민> 대보름날 더위 팔 때 하는 소리.

네미¹: 송아지를 부르는 소리.

네미²: "네 어미"가 줄어든 말로 못마땅할 때 상스럽게 하는 말.

넨장맞을: "네 장난을 맞을" 뜻으로 욕으로 쓰는 말. ㉰넨장.

네장칠: "네 장난을 칠"의 뜻으로 욕으로 쓰는 말. ㉰넨장.

둥개-둥개: 아기를 어르는 소리인 "둥둥"에 가락을 넣어서 더 재미있게
　　　　하는 소리.

드레드레: 벌떼가 분봉하려고 한데 나가서 모이어 붙은 것을 받아들이려고
　　　　멍덕이나 수봉기를 대고 몰아넣을 때 부르는 소리. ㉺둬둬.

따로따로: "따로따로따따로"의 준말.

따로따로따따로: 어린아이가 처음으로 따로서기를 익힐 때에 어린이를
　　　　붙들었던 손을 떼려고 하면서 부르는 소리. ㉰따로따로. ㉺섬마섬마.

맙소사: 기막힌 일을 당하거나 보거나 할 때 탄식하는 소리.

모어라수에: →무에리수에.

무어: ① 그게 무슨 소리냐고 놀람을 나타냄. ② 누가 부를 때 무엇 때문에
　　　부르느냐는 뜻으로 되묻는 말. ㉰뭐. ③ 여러 말 할 것 없다는 뜻으로
　　　쓰는 말. ④ 반의적인 뜻을 강조하려고 쓰는 말. ㉰뭐.

무에리수에(⊂門-數): 돌파리 장님, 점쟁이가 자기에게 점을 치라고 거리
　　　　로 다니면서 외치는 소리. ※⊂: 어원의 변천을 보이는 부호.

받들어 총: <군> 총을 가지고 경례를 하는 동작.

뇌시위: "임금이 거동할 때 봉도에서 주의하여 모시라"고 외치는 소리.

부라: 대장간에서 풀무질을 하는데 불을 불라는 소리.

부라부라: 부라질을 시키는 말.

빠이빠이: 어린이들이 쓰는 "잘 가라", "잘 있어", "안녕"을 뜻하는 작별의
　　　　　인사.

세상에: "이 세상에 그런 일도 있는가?" 하고 놀라는 뜻으로 쓰는 말.

시호시호(時乎時乎): ＝시재시재.

심봤다: 심마니가 산삼을 발견했을 때 세 번 지르는 소리.

아니야: 부정의 뜻을 나타낼 때 쓰이는 말. ㉤아냐.

아니요: 윗사람에게 그렇지 않다는 뜻으로 하는 말. (예) 아니요, 그렇지
　　　　　않습니다.

아니참: 어떤 생각이 문득 떠올랐을 때에 그 말 앞에 쓰는 말.

아멘(amen): <종> 기도나 찬송 끝에 진실로 그와 같이 찬동한다고 다짐하
　　　　　는 뜻으로 하는 말.

아무려나: "아무렇게나 하려거든 하라"고 승낙하는 말.

아무려면: 말할 것 없이 그렇다는 뜻.

아서라: "해라 할" 사람에게 그리 말라고 금지하는 말.

아옹: 얼굴을 가리고 있다가 별안간 어린아이를 보며 어를 때 하는 말.

아이고머니: "아이고"보다 깊고 간절한 느낌을 나타내는 소리.

아이고머니나: "아이고머니"의 힘줌말.

아주: 잘난체하는 짓을 비유하는 말.
　　　　　(예) 아주, 제가 무슨 잘난 사람이라고.

아차: 잘못된 것을 깨달을 때에 선뜻 나오는 소리.

아차차: "아차"를 빠르게 거듭하는 소리.

아이고: ① 몹시 괴롭거나 아플 때 내는 소리. ㉤애고. ㉣아이구. ㉤아유,

아이. ② 좀 힘이 들어 싫거나 귀찮거나 못마땅한 느낌을 나타낼 때 내는 소리. ㉥어이쿠. ㉫아유, 아이. ③ 몹시 놀라거나 갑작스러운 느낌을 나타낼 때에 내는 소리. ㉝애고. ㉥어이구. ㉫아유, 아이. ④ 몹시 원통하고 야속한 느낌을 나타낼 때에 내는 소리. ㉝애고. ㉥어이구. ㉫아유, 아이. ⑤ 몹시 기가 막히거나 어이없는 느낌을 나타낼 때에 내는소리. ㉝애고. ㉥어이구. ㉫아유, 아이. ⑥ 몹시 좋거나 반가운 느낌을 나타낼 때에 내는 소리. ㉝애고. ㉥어이구. ㉫아유, 아이. ⑦ 상중에 죽은이의 아들, 딸, 손자 들이 우는 소리. ㉝애고. ㉫아유, 아이.

아하하: 일부러 지어서 자지러지게 큰소리로 웃는 소리. ㉥어허허.

안녕: 헤어질 때나 만날 때 인사를 정답게 하는 말.

알라차: "알라"와 "아차"를 아울러 경쾌하게 느끼는 때에 내는 소리.

앗: 깜짝 놀라거나 놀랠 때 또는 위급할 때에 내는 소리.

앙: ① 어린아이가 우는 소리. ② 남을 놀릴 때에 지르는 소리. ③ 개 따위가 왈칵 물려고 덤빌 때 내는 소리.

애³: 업신여기는 뜻을 나타내는 말. (예) 애. 그놈.

애걔걔: "애걔"를 거듭할 때나 "애걔"보다 더 크게 느낄 때에 내는 소리.

애고머니: "아이고머니"의 준말. ㉥에구머니.

애고애고: 부모상을 당한 상주나 조부모 상을 당한 종손의 곡하는 소리.

애재(哀哉): 한문투로 "슬프도다"의 뜻.

애해: 우습거나 기가 막힐 때에 가볍게 내는 소리.

애햄: 점잔을 빼거나 인기척을 하는 때에 큰기침을 가볍게 내는 소리.

얄라차: 잘못됨을 얄궂게 또는 신기하게 여길 때에 내는 소리.

어기야: "어기야디야"의 준말.

어기야디야: 뱃사람들이 노를 저을 때에 흥겨워 내는 소리. ㉝어기야. 어

야디야. 에야디야.

어기여차: 힘을 합할 때에 일제히 내는 소리.

어허야어허: 땅을 다질 때 동작이나 힘을 맞추려고 지르는 소리.

어허허: 점잖게 너털웃음을 웃는 소리.

어험: 위엄을 내어서 기침하는 소리.

어화둥둥: "어허둥둥"의 예스런 말.

얼럴럴상사디야: 농부가의 후렴.

얼싸둥둥: ① 흥이 나서 아기를 어르는 소리. ② 남의 운에 딸리어서 멋모
　　　르고 행동하는 꼴.

얼씨구: ① 흥에 겨워서 떠들 때에 작은 장단으로 내는 소리. ② 보기에
　　　눈꼴사나울 때에 조롱으로 하는 소리.

얼씨구나: 흥에 겨워서 떠들 때에 아주 좋다고 지르는 소리.

얼씨구나절씨구나: 흥겨워서 떠들 때에 아주 좋다고 지르는 소리.

얼씨구절씨구: 흥에 겨워서 장단으로 잇달아 떠드는 소리.

에: 뜻에 맞지 아니 하여 속이 상할 때 스스로 하는 말.

에계: 하찮거나 훨씬 못 미쳐 업신여길 때에 하는 소리.

에계계: "에계"의 힘줌말.

에구머니: "아이구머니"의 준말.

에구에구: 몹시 슬퍼 우는 소리.

에그: 좀 징그럽거나 가엽거나 끔찍하거나 할 때에 내는 소리. ㉮에크.
　　　㉲에끄.

에그그: "에그"를 힘주어 내는 소리. ㉮에크나. ㉲에끄나.

에기: 스스로 증이 나서 생각을 끊어버리려 할 때에 내는 소리.
　　　㉰엑. ㉲에끼.

에꾸: 깜짝 놀랄 때에 스스로 내는 소리. ㉮에쿠.

에꾸나: 깜짝 놀랄 때에 스스로 아주 힘주어 내는 소리. ㉠에쿠나.

에끄: 갑자기 가엾거나 끔찍하거나 놀라운 일을 볼 때에 내는 소리. ㉠에크. ㉐에그.

에끄나: "에끄"를 힘주어 내는 소리. ㉠에크나. ㉐에그나.

에게: ① 증이 나서 생각을 아주 끊어버리려 할 때 내는 소리. ㉠에키. ㉐에기. ② →에끄.

에뜨거라: 혼날 뻔하였다는 뜻으로 내는 소리.

에라: ① 암만하여도 생각을 끊어버려야 하게 된 때에 스스로 내는 소리. ② 아이에게 "비켜라", "그만 두라"는 뜻으로 내는 소리. ③ "에루하"의 준말.

어깨총: <군> 총을 어깨에 메라는 구령.

어디: "어디여"의 준말.

어디여: ① 소가 길을 잘못 들려고 할 때에 바른 길로 모는 소리. ② 소를 오른쪽으로 가게 모는 소리.

어뜨무려차: 어린아이가 무거운 물건을 들어 올릴 때에 하는 소리.

어렵쇼: "어여"의 낮은말.

어려려려-얼하랑: 말을 부리거나 다룰 때에 하는 소리. <제주>

어마뜨거라: 매우 무섭거나 꺼리는 것을 말할 때에 놀라서 지르는 소리.

어머나: 주로 여자들이 몹시 놀라거나 끔찍함을 느끼는 때에 내는 소리.

어부봐: 어린아이에게 등에 업히라고 할 때에 하는 소리.

어뿔싸: 잘못된 일이나 언짢은 일을 알게 된 때에 뉘우쳐서 탄식하는 소리.

어어: ① 생각과 다른 뜻밖의 일을 당한 때에 내는 소리. ㉱아아. ② 때를 지어 싸울 때에 기운을 내거나 돋우는 소리. ㉲아아.

어여라: =어기여차.

어이: =어이구.

어이: 평교 이하의 사람을 부르거나 대답하는 소리.

어이구: ① 몹시 아프거나 괴롭거나 지겨움을 느끼는 때에 좀 크게 내는 소리. ㉰에구. ㉳아이고. ㉫어유. 어이. ② 몹시 힘이 들어 귀찮거나 싫거나 못마땅함을 느끼는 때에 좀 크게 내는 소리. ㉰에구. ㉳아이고. ㉫어유. 어이. ③ 몹시 놀라거나 급작스러움을 느끼는 때에 좀 크게 내는 소리. ㉰에구. ㉳아이고. ㉫어유. 어이. ④ 몹시 원통하거나 분하거나 안타까움을 느끼는 때에 좀 크게 내는 소리. ㉰에구. ㉳아이고. ㉫어유. 어이. ⑤ 몹시 기가 막히거나 너무 어이가 없음을 느끼는 때에 좀 크게 내는 소리. ㉰에구. ㉳아이고. ㉫어유. 어이. ⑥ 몹시 반갑거나 기분이 상쾌함을 느끼는 때에 좀 크게 내는 소리. ㉰에구. ㉳아이고. ㉫어유. 어이.

어이구머니: "아이구"보다 더 깊고 간절함을 느끼는 때에 내는 소리. ㉰어구. ㉰어구머니. 에구머니. ㉳아이고머니.

어허라달구야: 땅을 다질 때에 여럿이 동작을 맞추거나 힘을 모으려고 노래하듯 부르는 소리.

어허랑(御許郞): 과거에 급제한 사람이 유흥가에 놀러 갈 때에 장부가 앞에서 춤추며 부르던 소리.

에비: 아이들에게 "무서운 것이다."라는 뜻으로 놀라게 하는 말. 또는 그런 가상적 물건. (예) 울면 에비가 업어 간다.

에여라차: "어기여차"를 받는 소리.

에이: 속이 상하거나 마음에 달갑지 않을 때에 내는 소리.

에이그: 아주 밉거나 마땅하지 않아 한탄하거나 가엾게 느끼는 때에 내는 소리.

에이끼: 손아랫사람의 하는 짓이 못마땅하여 꾸짖을 때 내는 소리.

에쿠: 깜짝 놀라거나 절망적일 때에 스스로 내는 소리. ㉿에꾸.

에쿠나: 깜짝 놀라거나 절망적일 때에 스스로 아주 힘주어 내는 소리. ㉞에꾸나.

어쿠쿠: 몹시 마음이 아프거나 놀랐을 때에 모르는 사이에 나오는 소리. ㉳에구구.

에크: 몹시 가엾거나 끔찍하거나 놀랍거나 하는 일을 갑자기 볼 때 내는 소리. ㉞에끄. ㉳에그.

에크나: "에크"를 힘주어 내는 소리. ㉞에끄나. ㉳에그나.

에키: 몹시 증이 나서 생각을 딱 끊어버리려 할 때에 내는 소리. ㉞에끼. ㉳에기.

에헤: ① 가소롭거나 기막힐 때에 내는 소리. ㉛애해. ② 노랫소리를 흥창거려 낼 때에 하는 소리.

에헤야: 힘든 일을 할 때나 노래에서 "에헤"를 멋있게 맺는 소리.

에헴: 점잔을 빼거나 "여기 내가 있다 함"을 알리기 위하여 일부러 내는 큰기침 소리. ㉛애힘.

억: "에기"의 준말.

여보: ① 하오 할 자리에 있는 사람을 부르는 말. ② 부부 사이에서 서로 부르는 말.

여보게: 하게 할 자리에 있는 사람을 부르는 말.

여보세요: "여 보시오"의 통속적인 말.

여보시게: "하게" 하는 자리에 있는 사람을 좀 존대하여 부르는 말.

여보시오: "하오" 할 자리에 있는 사람을 존대하여 부르는 말. ㉜엽쇼.

여보십시오: [⊂여기 보십시오.] "합쇼" 할 자리에 있는 사람을 부르는 말. ㉜여봅시오.

여봅시오: "여기 보십시오"의 준말.

여봐라: "해라" 할 사람을 부르는 말.

영치기영차: 힘든 일을 하거나 운동 경기를 응원하는 따위에 여러 사람이 막판에 몰아치면서 잇달아 내는 소리.

예[7]: ① 손위 사람에게 깍듯이 대답하는 말. ② 손윗사람의 말에 그리 여긴 다는 뜻을 나타내는 말. ③ 윗사람에게 그 자리에서 재우쳐 묻는 말. 퇸네.

예라: ① 아이에게 비키라는 뜻으로 하는 소리. ② 아이에게 그리 말라는 뜻으로 하는 소리. ③ 무슨 일을 한번 해 보겠다거나 또는 그만 두겠 다고 결단을 내리는 때에 내는 소리.

옛소: "여기 있소"가 줄어든 말. "하오" 할 사람에게 무엇을 주려고 할 때에 쓴다.

오: ① "옳지"의 뜻. ② "오냐"의 뜻.

오군만년(五軍萬年): 만세.

오냐오냐: 어린아이의 응석을 받아들일 때 하는 소리.

오래오래: 돼지를 부르는 소리.

오호라(嗚呼-): 슬픔이나 탄식을 나타낼 때에 내는 소리.

오호(嗚呼): 슬플 때나 탄식할 때 내는 소리.

오홉다[於--]: 글에 쓰이어 감탄하여 찬미할 때에 하는 말.

옹: 남을 놀리는 소리.

왕배야덕배야: 가는 데마다 시달림을 받아 괴로움을 견딜 수 없을 때에 부르짖는 소리.

요런: ① 가까이 놀라운 일이 있을 때 하는 소리. 퇸이런. ② 요러함이 준말. 퇸이런.

요렇지: ① "요"와 같이 틀림없다는 뜻으로 하는 말. 퇸이렇지. ② "요러하 지"의 준말. 퇸이렇지.

왕: ① 말의 걸음을 그치게 하는 소리. ② 와[3](말이나 소의 움직임을 멈추게

하는 소리).

우어[4]: 마소에게 멈추라고 외치는 소리. ㈜위.

우어우어: 잇달아 "우어" 하는 소리. ㈜워워.

우여: 새를 쫓는 소리.

워어호: 상여꾼이 상여를 메고 나갈 때에 여럿이 함께 부르는 소리.

워워: 우어우어의 준말.

으악: 자신이 갑자기 놀랐을 때나 남을 놀래기 위하여 지르는 소리.

응: ① 하게 하거나 해라 할 자리에 그의 물음이나 부름에 대답하는 소리 또는 대답을 독촉하거나 자기 말을 똑똑히 다질 때에 재우치는 소리. ㈇으응. ② 무슨 일이나 남의 말이 자기 마음에 들지 아니 할 때에 불평을 나타내는 독립한 말.

이: 남이 위태한 지경에 있을 때에 급히 주의시키는 소리.

이런: 가까이 또는 직접으로 놀라운 일이 있을 때 부르짖는 소리. ㈜요런.

이렇지: "이와 같이" 틀림없다는 말뜻으로 하는 말. ㈜요렇지.

이키나: 놀라운 일을 만나 급히 물러설 듯이 지르는 소리. ㈜이키.

일어섯: 여러 사람에게 일어서라고 하는 구령.

이끼: "이끼나"의 준말.

이끼나: 갑자기 놀라 급히 물러설 듯이 지르는 소리.

왜: 의문의 뜻을 나타낼 때에 내는 소리.

잘코사니: 미운 사람의 불행을 고소하게 여길 때에 쓰는 말.

개치네쒜: 고뿔이 물러가라는 뜻으로 재치기를 한 뒤에 외치는 소리.

거: "그것"의 뜻. (예) 거 참 좋다. 거 누구냐?

거시기: 하려는 말이 얼른 떠오르지 않거나 바로 말하기가 거북스러울 때 내는 소리.

장재(壯哉): "장하도다"의 뜻.

저: ① 생각이 갑자기 나지 않을 때 내는 말. ② 말을 꺼내기가 거북하거나
    어색하여 좀 머뭇거릴 때 내는 말. ③ →쉬.

저런: 놀라운 일을 보거나 듣거나 하였을 때 놀라움을 나타내는 말. 😀조런.

제: 원망스럽거나 답답할 때 내는 소리.

제기랄: 원망스럽거나 불평스럽거나 할 때에 하는 소리. 😀제길.

제길: "제기랄"의 준말.

제미붙을: "제 어미를 붙을"이라는 뜻의 상스런 욕.

조런: 멀찍이 또는 간접으로 놀라운 일이 있을 때 부르는 소리. 😀저런.

좋다: 느낌말로 쓰이어 즐거움, 찬성, 결의를 나타낸다.

    (예) 좋구나 좋아.

죄암죄암: 죄암질을 시키는 말. ※죄암질: 젖먹이가 두 손을 쥐었다 폈다
    하는 재롱. 😀쥐엄질.

죔죔: "죄암죄암"의 준말.

쥐엄쥐엄: 쥐엄질을 시키는 말. 😀죄암죄암.

지국총지국총: 흥을 돋우려고 부르던 어부가 후렴의 한 가지.

짝짜꿍짝짜꿍: 짝짜꿍을 시키는 말.

쩟: 못마땅하여 혀를 차는 소리.

쩟쩟: 마음에 몹시 못마땅하여 자꾸 혀를 차는 소리.

쯧쯧: 마음에 맞갖지 않아 잇달아 가볍게 혀를 차는 소리.

차호(差呼): 주로 글에서 슬퍼서 탄식할 때에 쓰는 말.

차홉다(嗟--): 주로 글에서 매우 슬퍼 탄식할 때에 쓰는 말.

찰코사니: =잘코사니.

천지에(天地-): 뜻밖에 몹시 심한 일을 당할 때에 한탄하는 뜻으로 내는
    말. 😀천제.

파이팅(fighting): "잘 싸우자. 잘 싸워라"는 뜻으로 외치는 구호. 😀아자.

하하: ① 뜻하지 아니 하게 좀 놀라거나 한탄하거나 감탄할 때 내는 소리.
　　　웹허허. ② 서운한 일을 당했을 때 가볍게 좀 근심하거나 나무라는
　　　뜻으로 하는 소리.

걸음마: 아직 걷지 못하는 어린아이에게 걸음을 익히게 할 때에 발을 떼어
　　　놓으라고 시키는 소리.

고수레: 산이나 들에서 음식을 먹을 때나 무당이 푸닥거리를 할 때 귀신에
　　　게 먼저 바친다는 뜻으로 음식을 조금씩 떼어 던지며 외치는 소리.

해: 일이 좀 순조롭지 아니 하거나 곤란할 때에 내는 소리. 웹헤.

허허: ① 뜻하지 아니 하게 놀라거나 슬프거나 감탄할 때에 내는 소리.
　　　② 마땅하지 아니 한 일을 당했을 때 근심하거나 나무라는 뜻으로
　　　내는 소리.

후: ① 일이 고되거나 시름겨울 때 크게 숨을 내쉬는 소리. ② 어려운 일이
　　　끝나서 안심하여 숨을 크게 내쉬는 소리.

흠흠: ① 마음에 흡족한 생각이 들거나 남의 말을 흥겹게 들을 때에 콧숨을
　　　자꾸자꾸 내쉬며 내는 소리. ② 무슨 말이 있을 법한데 말 없이 콧숨
　　　을 자꾸 내쉬며 내는 소리. ③ 냄새를 일부러 맡을 때에 콧숨을 자꾸
　　　들이쉬며 내는 소리.

곤두곤두: 어린아이를 손바닥에 세우면서 어르는 말. 웹따로따로 따따로.

그것참: 어떠한 일에 대한 느낌이 새삼스럽거나 깊다는 뜻으로 내는 말.
　　　웹거참.

그래: ① 해라 할 자리에 긍정의 뜻으로 대답하는 말. ② 해라나 하게나
　　　하오 할 자리에 말을 다잡아 물을 때 쓰는 말. ③ 상대의 말에 대한
　　　감탄이나 놀람을 나타낼 때에 하는 말. ④ 말을 마치면서 강조하는
　　　뜻으로 덧붙이는 말.

꾸꾸꾸: =꾸꾸. 웹구구구.

꾸꾸: 닭이나 비둘기 따위를 세게 부르는 소리.

네미[1]: 송아지를 부르는 말.

네미[2]: "네 어미"가 줄어든 말. 못마땅할 때 상스럽게 하는 말.

네장칠: "네 장난을 칠"의 뜻으로 욕으로 쓰는 말. ㉐넨장.

도리도리: 도리질을 시키는 말. (예) 도리도리 짝짜꿍.

뒤로돌아: 한 자리에서 뒤로 방향을 바꾸라는 구령.

브라보(bravo): "잘 한다", "좋다", "신난다" 등의 뜻으로 지르는 소리.

시: 시쁘게 생각되는 것을 나타내는 말.

쉐쉐: 어린아이가 몸을 다쳐 아파할 때에 다친 자리를 만지며 위로하는
소리.

아나나비야: 고양이를 부르는 소리. ㉑아나.

아니: ① 그렇지 않다는 뜻을 대답으로 하는 말. ② 놀랍거나 의심스럽거나
또는 감탄의 뜻을 나타낼 때에 쓰이는 말.
(예) 아니, 그게 웬 일이요?

아무렴: "아무려면"의 준말.

아뿔싸: 잘못된 일이나 언짢은 일을 알게 된 때에 뉘우쳐 탄식하는 소리.
㉮하뿔싸. ㉰어뿔싸.

아이참: 못마땅하거나 초조하거나 심란하거나 수줍어할 때에 내는 소리.

얘: ① 과연 놀랄 만하다는 뜻으로 내는 소리. ② 어린이들끼리 또는 어른
이 아이를 부르는 소리.

어: ① 놀라거나 당황하거나 초조하거나 급할 때 내는 소리. ② 상대자의
주의를 끌려는 말에 앞서 내는 소리. ㉞아.

어: 기쁘거나 슬프거나 칭찬하거나 뉘우치거나 귀찮거나 절실할 때에 내는
소리. ㉞아.

어깨총: <군> 총을 어깨에 메라는 구령.

어둥둥: "어허 둥둥"의 준말.

어디: ① 벼르거나 다짐하는 뜻을 강조하는 말. ② 남의 주의를 끄는 말.

어리일씨: 흥겨워 떠들 때 장단에 맞추어 가볍게 내는 소리.

어머머: "어머"의 힘줌말.

어야디야: "어기야디야"의 준말.

엎드려뻗쳐: 구령으로 하는 말.

에우쭈루: 옛날 벽제하느라고 외치던 소리의 하나. 병조판서 몇 각 영문의
제조, 장신 또는 지방관아의 감사, 수령이 그 경내에서 출입할 때
기수들이 앞에 나아가 부른다.

옛단쇠: 엿장수가 엿을 사라고 외치는 소리.

옛네: "여기 있네"가 줄어든 말. "하게" 할 사람에게 무엇을 주려고 할
때 쓰는 말.

옛다: "여기 있다"가 줄어든 말. "해라" 할 사람에게 무엇을 주려고 할
때 쓰는 말.

옛습니다: "여기 있습니다"가 줄어든 말. "합쇼" 할 사람에게 무엇을 주려
고 할 때 쓰는 말.

와: 소나 말의 움직임을 멈추게 하느라고 내는 소리.

왜: 의문의 뜻을 나타낼 때에 내는 소리.

우아: ① 뜻밖에 기쁜 일을 당했을 때에 내는 소리.

우향우: 한 자리에서 오른쪽으로 90도 방향을 바꾸라는 구령.

원: 뜻밖의 일이나 놀랐을 때나 마음에 언짢을 때에 느끼어 하는 말.

웬: "웬 것을"이 줄어든 말로 "어떻게 그렇게 될 수 있나" 하는 뜻을 나타내
는 말.

응애응애: 갓난아이의 울음소리.

이개: 개를 쫓는 소리. 쫓요개.

이리위: 전날 신은을 불릴 때에 앞으로 나오라고 불리는 쪽의 하인들이 외치는 소리.

오냐오냐: 어린아이의 응석을 받아들일 때 하는 소리.

오냐: "해라" 할 사람의 부름에 대답하는 소리.

이영차: 여러 사람이 힘을 한목 모아서 쓸 때 지르는 소리. (준)여차. 영차. (큰)이어차.

자: ① 어떤 일이나 행동을 하기 전에 남의 주의를 일으키려고 하는 말. ② 남에게 어떤 행동을 권하거나 재촉할 때에 하는 말. ③ 좀 안타깝거나 의아스러운 일을 당하였을 때에 혼잣소리로 하는 말.

체: 못마땅하여 아니꼬울 때나 불평스럽게 탄식할 때에 내는 소리. (큰)차.

치: ① 절구질, 도끼질 따위와 같이 힘든 동작을 연거푸 할 때에 내는 소리. ② 체.

카: 몹시 맵거나 독한 냄새가 코를 찌를 때에 내는 소리. (큰)커.

커: 맛이 맵거나 냄새가 몹시 독할 때에 내는 소리. (작)카.

하: ① 기쁨, 슬픔, 걱정, 노여움, 한탄 따위의 감정을 가볍게 나타내는 소리. (큰)허. ② 안타깝거나 기가 막히거나 하는 느낌을 가볍게 나타내는 소리. (큰)허.

허: ① 기쁨, 슬픔, 걱정, 한탄 따위의 감정을 거볍게 나타내는 소리. (작)하. ② 안타깝거나 기가 막히거나 어이가 없는 느낌을 거볍게 나타내는 소리. (작)하.

허뿔싸: 이미 한 일의 잘못을 깨닫거나 깜짝 잊고 일을 그르칠 때 따위에 깜짝 놀라서 내는 소리. (여)어뿔사. (작)하뿔싸.

흠: ① 코로 비웃는 소리. ② 신이 나서 감탄하는 소리.

힝: 코웃음을 웃는 소리.

힝힝: 잇달아 코웃음을 웃는 소리.

4. 감탄사의 분류

앞 94쪽 이하에서 다룬 감탄사의 분류는 완전하지 못하여 『우리말사전』에서 찾은 감탄사는 모두 249낱말인데, 이것을 자세히 분류하면 다음과 같다. 이 분류가 올바른 분류가 될 것이다.

가소로움

에헤: 가소롭거나 기막힐 때에 내는 소리. ㉤애해.

감정

애재(哀哉): 한문투로 "슬프도다"의 뜻.

에이: 속이 상하거나 마음에 달갑지 않을 때에 내는 소리.

하: ① 기쁨, 슬픔, 걱정, 노여움, 한탄 따위의 감정을 가볍게 나타내는 소리. ㉤허.

허: ① 기쁨, 슬픔, 걱정, 한탄 따위의 감정을 거볍게 나타내는 소리. ㉤하.

감탄하는 감탄사

장재(壯哉): "장하도다"의 뜻.

아니: 놀랍거나 의심스럽거나 또는 감탄의 뜻을 나타낼 때에 쓰이는 말. (예) 아니, 그게 웬 일이요?

흠: 신이 나서 감탄하는 소리.

갓난아이의 울음소리

응애응애: 갓난아이의 울음소리.

개를 쫓는 소리

이개: 개를 쫓는 소리. ㉠요개.

결단하는 말

예라: 무슨 일을 한번 해 보겠다거나 또는 그만 두겠다고 결단을 내리는
때에 내는 소리.

고뿔 퇴치

개치네쒜: 고뿔이 물러가라는 뜻으로 재채기를 한 뒤에 외치는 소리.

고양이를 부르는 소리

아나나비야: 고양이를 부르는 소리. ㉴아나.

곤란할 때 내는 소리

해: 일이 좀 순조롭지 아니 하거나 곤란할 때에 내는 소리. ㉣헤.

괴로움

아이고: 몹시 괴롭거나 아플 때 내는 소리. ㉐애고. ㉘아이구. ㉑아유,
　　　　아이.
왕배야덕배야: 가는 데마다 시달림을 받아 괴로움을 견딜 수 없을 때에
　　　　부르짖는 소리.

구령

뒤로돌아: 한 자리에서 뒤로 방향을 바꾸라는 구령.
받들어 총: <군> 총을 가지고 경례를 하는 동작.
어깨총: <군> 총을 어깨에 메라는 구령.
일어섯: 여러 사람에게 일어서라고 하는 구령.
엎드려뻗쳐: 구령으로 하는 말.
우향우: 한 자리에서 오른쪽으로 90도 방향을 바꾸라는 구령.

구호

파이팅(fighting): "잘 싸우자. 잘 싸워라"는 뜻으로 외치는 구호. ㉐아자.

긍정

아무렴: "아무려면"의 준말. 말할 것 없이 그렇다는 뜻. (예) 아무려면 그렇
　　　　지. ㉐암⁴

급할 때 내는 소리

어: 놀라거나 당황하거나 초조하거나 급할 때 내는 소리.

기쁨의 뜻을 나타내는 감탄사

우아: 뜻밖에 기쁜 일을 당했을 때에 내는 소리.

기침

애햄: 점잔을 빼거나 인기척을 하는 때에 큰기침을 가볍게 내는 소리.

어험: 위엄을 내어서 기침하는 소리.

에헴: 점잔을 빼거나 "여기 내가 있다 함"을 알리기 위하여 일부러 내는
큰기침 소리. ㉜애험.

기분 좋음

잘코사니: 미운 사람의 불행을 고소하게 여길 때에 쓰는 말.

깨달음

아차: 잘못된 것을 깨달을 때에 선뜻 나오는 소리.

아차차: "아차"를 빠르게 거듭하는 소리.

꾸지람

에이끼: 손아랫사람의 하는 짓이 못마땅하여 꾸짖을 때 내는 소리.

예[7]: 몹시 나무랄 때에 내는 소리. (예) 예 이놈. 예 이 못난 놈.

하하: 서운한 일을 당했을 때 가볍게 좀 근심하거나 나무라는 뜻으로 하는 소리.

허허: 마땅하지 아니 한 일을 당했을 때 근심하거나 나무라는 뜻으로 내는 소리.

냄새

카: 몹시 맵거나 독한 냄새가 코를 찌를 때에 내는 소리. ⓗ커.

커: 맛이 맵거나 냄새가 몹시 독할 때에 내는 소리. ⓑ카.

노래

얼럴럴상사디야: 농부가의 후렴.

에우쭈루: 옛날 벽제하느라고 외치던 소리의 하나. 병조판서 몇 각 영문의 제조, 장신 또는 지방관아의 감사, 수령이 그 경내에서 출입할 때 기수들이 앞에 나아가 부른다.

에헤: 노랫소리를 흥창거려 낼 때에 하는 소리.

에헤야: 힘든 일을 할 때나 노래에서 "에헤"를 멋있게 맺는 소리.

놀랐을 때 내는 소리

깜짝이야: 깜짝 놀랐을 때 내는 소리.

무어: 그게 무슨 소리냐고 놀람을 나타냄.

세상에: "이 세상에 그런 일도 있는가?" 하고 놀라는 뜻으로 쓰는 말.

앗: 깜짝 놀라거나 놀랠 때 또는 위급할 때에 내는 소리.

앙: 개 따위가 왈칵 물려고 덤빌 때 내는 소리.

얘: 과연 놀랄 만하다는 뜻으로 내는 소리. (예) 얘, 그것 참 듣기보다
　　훨씬 좋구나.

어렵쇼: "어여"의 낮은말로 생각과 다른 뜻밖의 일을 당한 때에 내는 소리.
　　畲아아.

어마뜨거라: 매우 무섭거나 꺼리는 것을 말할 때에 놀라서 지르는 소리.

에꾸: 깜짝 놀랄 때에 스스로 내는 소리. ㉠에쿠.

에꾸나: 깜짝 놀랄 때에 스스로 아주 힘주어 내는 소리. ㉠에쿠나.

에끄: 갑자기 가엾거나 끔찍하거나 놀라운 일을 볼 때에 내는 소리. ㉠에
　　크. ㉭에그.

에끄나: "에끄"를 힘주어 내는 소리. ㉠에크나. ㉭에그나.

에쿠: 깜짝 놀라거나 절망적일 때에 스스로 내는 소리. ㉝에꾸.

에쿠나: 깜짝 놀라거나 절망적일 때에 스스로 아주 힘주어 내는 소리. ㉝에
　　꾸나.

에크: 몹시 가엾거나 끔찍하거나 놀랍거나 하는 일을 갑자기 볼 때 내는
　　소리. ㉝에끄. ㉭에그.

으악: 자신이 갑자기 놀랐을 때나 남을 놀래기 위하여 지르는 소리.

저런: 놀라운 일을 보거나 듣거나 하였을 때 놀라움을 나타내는 말. 畲조런.

조런: 멀찍이 또는 간접으로 놀라운 일이 있을 때 부르는 소리. 큰저런.

허뿔싸: 이미 한 일의 잘못을 깨닫거나 깜짝 잊고 일을 그르칠 때 따위에 깜짝 놀라서 내는 소리. ㉔어뿔사. ㉑하뿔싸.

느낌

그것참: 어떠한 일에 대한 느낌이 새삼스럽거나 깊다는 뜻으로 내는 말. ㉚거참.

그래: 상대의 말에 대한 감탄이나 놀람을 나타낼 때에 하는 말.

내괘: "내가 괴이하게 생각하였더니 과연 그렇구나"라는 뜻으로 이르는 말. (예) 내괘! 심상치 않더니 기어이 일이 터졌군!

시호시호(時乎時乎): =시재시재. 좋은 때가 온 것을 기뻐하여 감탄하는 소리.

심봤다: 심마니가 산삼을 발견했을 때 세 번 지르는 소리.

아니참: 어떤 생각이 문득 떠올랐을 때에 그 말 앞에 쓰는 말.

아이고: ③ 몹시 놀라거나 갑작스러운 느낌을 나타낼 때에 내는 소리. ㉚애고. ㉑어이구. ㉑아유, 아이. ④ 몹시 원통하고 야속한 느낌을 나타낼 때에 내는 소리. ㉚애고. ㉑어이구. ㉑아유, 아이. ⑤ 몹시 기가 막히거나 어이없는 느낌을 나타낼 때에 내는소리. ㉚애고. ㉑어이구. ㉑아유, 아이. ⑥ 몹시 좋거나 반가운 느낌을 나타낼 때에 내는 소리. ㉚애고. ㉑어이구. ㉑아유, 아이.

아이고머니: "아이고"보다 깊고 간절한 느낌을 나타내는 소리.

아이고머니나: "아이고머니"의 힘줌말.

알라차: "알라"와 "아차"를 아울러 경쾌하게 느끼는 때에 내는 소리.

애개개: "애개"를 거듭할 때나 "애개"보다 더 크게 느낄 때에 내는 소리.

애해: 우습거나 기가 막힐 때에 가볍게 내는 소리.

어머나: 주로 여자들이 몹시 놀라거나 끔찍함을 느끼는 때에 내는 소리.

어머머: "어머"의 힘줌말.

어이: =어이구.

어이: 평교 이하의 사람을 부르거나 대답하는 소리.

어이구: ① 몹시 아프거나 괴롭거나 지겨움을 느끼는 때에 좀 크게 내는
소리. ㉣에구. ㉧아이고. ㉤어유. 어이. ② 몹시 힘이 들어 귀찮거나
싫거나 못마땅함을 느끼는 때에 좀 크게 내는 소리. ㉣에구. ㉧아이
고. ㉤어유. 어이. ③ 몹시 놀라거나 급작스러움을 느끼는 때에 좀
크게 내는 소리. ㉣에구. ㉧아이고. ㉤어유. 어이. ④ 몹시 원통하거
나 분하거나 안타까움을 느끼는 때에 좀 크게 내는 소리. ㉣에구.
㉧아이고. ㉤어유. 어이. ⑤ 몹시 기가 막히거나 너무 어이가 없음
을 느끼는 때에 좀 크게 내는 소리. ㉣에구. ㉧아이고. ㉤어유. 어
이. ⑥ 몹시 반갑거나 기분이 상쾌함을 느끼는 때에 좀 크게 내는
소리. ㉣에구. ㉧아이고. ㉤어유. 어이.

어이구머니: "아이구"보다 더 깊고 간절함을 느끼는 때에 내는 소리. ㉣어
구. ㉣어구머니. 에구머니. ㉧아이고머니.

어화둥둥: "어허둥둥"의 예스런 말.

에: 뜻에 맞지 아니 하여 속이 상할 때 스스로 하는 말.

에구머니: "아이구머니"의 준말로 간절한 느낌을 나타내는 소리.

에그: 좀 징그럽거나 가엽거나 끔찍하거나 할 때에 내는 소리. ㉮에크.
㉳에끄.

에그그: "에그"를 힘주어 내는 소리. ㉮에크나. ㉳에끄나.

에뜨거라: 혼날 뻔하였다는 뜻으로 내는 소리.

에이그: 아주 밉거나 마땅하지 않아 한탄하거나 가엾게 느끼는 때에 내는
소리.

원: 뜻밖의 일이나 놀랐을 때나 마음에 언짢을 때에 느끼어 하는 말.

하: 안타깝거나 기가 막히거나 하는 느낌을 가볍게 나타내는 소리. 閻허.

허: 안타깝거나 기가 막히거나 어이가 없는 느낌을 거볍게 나타내는 소리.

閻하.

다짐

아멘(amen): <종> 기도나 찬송 끝에 진실로 그와 같이 찬동한다고 다짐하

는 뜻으로 하는 말.

닭이나 비둘기를 부르는 감탄사

꾸꾸: 닭이나 비둘기 따위를 세게 부르는 소리.

꾸꾸꾸: =꾸꾸. 閻구구구.

대답하는 감탄사

그래: 해라 할 자리에 긍정의 뜻으로 대답하는 말.

예: 손윗사람에게 깍듯이 대답하는 말. (예) 예, 무슨 일입니까? 閻네[3].

오: ① "옳지"의 뜻. ② "오냐"의 뜻.

오냐: "해라" 할 사람의 부름에 대답하는 소리.

오냐오냐: 어린아이의 응석을 받아들일 때 하는 소리.

응: 하게 하거나 해라 할 자리에 그의 물음이나 부름에 대답하는 소리

또는 대답을 독촉하거나 자기 말을 똑똑히 다질 때에 재우치는 소

리. 閻으응.

만세

오군만년(五軍萬年): 만세.

말과 소의 동작을 멈추게 하는 감탄사

와: 소나 말의 움직임을 멈추게 하느라고 내는 소리.
왕: ① 말의 걸음을 그치게 하는 소리. ② 와³(말이나 소의 움직임을 멈추게
　　 하는 소리).
우어⁴: 마소에게 멈추라고 외치는 소리. ㉰위.
우어우어: 잇달아 "우어" 하는 소리. ㉰워워.
워워: 우어우어의 준말.

말줄임

거: "그것"의 뜻.
그렇지: 그와 같이 틀림없다는 뜻으로 하는 말.
따로따로: "따로따로따따로"의 준말.
애고머니: "아이고머니"의 준말. ㉱에구머니.

머뭇거릴 때 말

가실랑은: 글을 읽거나 말을 할 때 거침없이 되어지지 않아서 내는 군소리.
거봐: 어떤 일이 자기 말대로 되었을 때 "해" 하는 사람에게 일깨우는 뜻으
　　 로 하는 소리.

거봐라: 어떠한 일이 자기 말대로 되었을 때 "해" 할 상대에게 일깨우는
　　　뜻으로 하는 소리.

거시기: 하려는 말이 얼른 떠오르지 않거나 바로 말하기가 거북스러울
　　　때 내는 소리.

거시기=거시기: 말하고자 하는 사물의 이름이 얼른 떠오르지 않거나 바로
　　　말하기가 거북할 때 그 대신으로 내는 소리.

게저리게: 게 장수가 게를 팔려 다닐 때에 외치는 소리.

내더위: <민> 대보름날 더위 팔 때 하는 소리.

저: ① 생각이 갑자기 나지 않을 때 내는 말. ② 말을 꺼내기가 거북하거나
　　　어색하여 좀 머뭇거릴 때 내는 말. ③ →쉬.

멸시하는 뜻의 감탄사

시: 시쁘게 생각되는 것을 나타내는 말.

명령

걸음마: 아직 걷지 못하는 어린아이에게 걸음을 익히게 할 때 발을 떼어
　　　놓으라고 시키는 소리.

게우쭈루: 조선 때 병조판서, 각 영문의 대장, 각 관찰사, 각 절도사, 그
　　　밖의 병권을 가진 벼슬아치들의 행사에 호위하는 순령수가 지나가
　　　는 사람들에게 길을 비키라고 외치는 소리.

부라: 대장간에서 풀무질을 하는데 불을 불라는 소리.

부라부라: 부라질을 시키는 말.

아서라: "해라 할" 사람에게 그리 말라고 금지하는 말.

에라: 아이에게 "비켜라", "그만 두라"는 뜻으로 내는 소리.

못마땅함

쩟: 못마땅하여 혀를 차는 소리.

쩟쩟: 마음에 몹시 못마땅하여 자꾸 혀를 차는 소리.

쯪쯪: 마음에 맞갖지 않아 잇달아 가볍게 혀를 차는 소리.

무시

에계: 하찮거나 훨씬 못 미쳐 업신여길 때에 하는 소리.

에계계: "에계"의 힘줌말.

물러날 때 지르는 소리

이끼: "이끼나"의 준말.

이끼나: 갑자기 놀라 급히 물러설 듯이 지르는 소리.

이키나: 놀라운 일을 만나 급히 물러설 듯이 지르는 소리. ㈜이키.

물음

그래: 해라나 하게나 하오 할 자리에 말을 다잡아 물을 때 쓰는 말.

무어: 누가 부를 때 무엇 때문에 부르느냐는 뜻으로 되묻는 말. ㈜뭐.

예: 윗사람에게 그 자리에서 재우쳐 묻는 말.

　　(예) 예, 무엇이라고요? ㈜네³.

부르는 소리

네미¹: 송아지를 부르는 소리.

드레드레: 벌떼가 분봉하려고 한데 나가서 모이어 붙은 것을 받아들이려고 멍덕이나 수봉기를 대고 몰아넣을 때 부르는 소리. ⑪뒤뒤.

따로따로: "따로따로따따로"의 준말.

따로따로따따로: 어린아이가 처음으로 따로서기를 익힐 때에 어린이를 붙들었던 손을 떼려고 하면서 부르는 소리. ㉰따로따로. ⑪섬마섬마.

얘: 어린이들끼리 또는 어른이 아이를 부르는 소리.

어이: 평교 이하의 사람을 부르거나 대답하는 소리.

여보: ① 하오 할 자리에 있는 사람을 부르는 말. ② 부부 사이에서 서로 부르는 말.

여보게: 하게 할 자리에 있는 사람을 부르는 말.

여보세요: "여 보시오"의 통속적인 말.

여보시게: "하게" 하는 자리에 있는 사람을 좀 존대하여 부르는 말.

여보시오: "하오" 할 자리에 있는 사람을 존대하여 부르는 말. ㉰엽쇼.

여보십시오: [⊂여기 보십시오.] "합쇼" 할 자리에 있는 사람을 부르는 말. ㉰여봅시오.

여봅시오: "여기 보십시오"의 준말.

여봐라: "해라" 할 사람을 부르는 말.

오래오래: 돼지를 부르는 소리.

부르짖는 소리

이런: 가까이 또는 직접으로 놀라운 일이 있을 때 부르짖는 소리. ㉥요런.

부정

아니: 그렇지 않다는 뜻을 대답으로 하는 말.

아니야: 부정의 뜻을 나타낼 때 쓰이는 말. ㈜아냐.

아니요: 윗사람에게 그렇지 않다는 뜻으로 하는 말. (예) 아니요, 그렇지
   않습니다. 아니요, 그럴 수는 없어요.

불평

응: 무슨 일이나 남의 말이 자기 마음에 들지 아니 할 때에 불평을 나타내는
   독립한 말.

비웃음

흠: 코로 비웃는 소리.

비유

아주: 잘난체하는 짓을 비유하는 말.
   (예) 아주, 제가 무슨 잘난 사람이라고.

상대방에 대한 소리

어: 상대자의 주의를 끌려는 말에 앞서 내는 소리. ㈜아.

상여를 어르는 소리

워어호: 상여꾼이 상여를 메고 나갈 때에 여럿이 함께 부르는 소리.

새를 쫓는 소리

우여: 새를 쫓는 소리.

생각

얄라차: 잘못됨을 얄궂게 또는 신기하게 여길 때에 내는 소리.

에게: ① 증이 나서 생각을 아주 끊어버리려 할 때 내는 소리. ㉠에키.
㉡에기. ② →에끄.

에기: 스스로 증이 나서 생각을 끊어버리려 할 때에 내는 소리.
㉰엑. ㉲에끼.

에라: 암만하여도 생각을 끊어버려야 하게 된 때에 스스로 내는 소리.

에키: 몹시 증이 나서 생각을 딱 끊어버리려 할 때에 내는 소리. ㉲에끼.
㉡에기.

소 또는 말을 부릴 때 소리

어디: "어디여"의 준말.

어디여: ① 소가 길을 잘못 들려고 할 때에 바른 길로 모는 소리. ② 소를
오른쪽으로 가게 모는 소리.

어려려려-얼하랑: 말을 부리거나 다룰 때에 하는 소리. <제주>

송아지를 부르는 소리

네미[1]: 송아지를 부르는 소리.

슬픔의 감탄사

오호라(嗚呼–): 슬픔이나 탄식을 나타낼 때에 내는 소리.

숨을 내쉬는 소리

후: ① 일이 고되거나 시름겨울 때 크게 숨을 내쉬는 소리. ② 어려운 일이
    끝나서 안심하여 숨을 크게 내쉬는 소리.
흠흠: ① 마음에 흡족한 생각이 들거나 남의 말을 흥겹게 들을 때에 콧숨을
    자꾸자꾸 내쉬며 내는 소리. ② 무슨 말이 있을 법한데 말 없이 콧숨
    을 자꾸 내쉬며 내는 소리. ③ 냄새를 일부러 맡을 때에 콧숨을 자꾸
    들이쉬며 내는 소리.

승인

예: 손윗사람의 말에 그리 여긴다는 뜻을 나타내는 말. (예) 예, 그렇습니
    다. ㈜네[3].

신에게 제 지낼 때 외치는 소리

고수레: 산이나 들에서 음식을 먹을 때나 무당이 푸닥거리를 할 때 귀신에

게 먼저 바친다는 뜻으로 음식을 조금씩 떼어 던지며 외치는 소리.

심리상태

아이참: 못마땅하거나 초조하거나 심란하거나 수줍어할 때에 내는 소리.

승락

아무려나: "아무렇게나 하려거든 하라"고 승낙하는 말.
아무려면: 말할 것 없이 그렇다는 뜻.

쓸모없음을 뜻하는 감탄사

무어: 여러 말 할 것 없다는 뜻으로 쓰는 말.

아기를 어르는 소리

둥개둥개: 아기를 어르는 소리인 "둥둥"에 가락을 넣어서 더 재미있게 하
는 소리.

아이에 대한 명령

걸음마: 아직 걷지 못하는 어린아이에게 걸음을 익히게 할 때에 발을 떼어
놓으라고 시키는 소리.
도리도리: 도리질을 시키는 말. (예) 도리도리 짝짜꿍.

예라: ① 아이에게 비키라는 뜻으로 하는 소리. ② 아이에게 그리 말라는 뜻으로 하는 소리.

죄암죄암: 죄암질을 시키는 말. ※죄암질: 젖먹이가 두 손을 쥐었다 폈다 하는 재롱. ㉬쥐엄질.

죔죔: "죄암죄암"의 준말.

쥐엄쥐엄: 쥐엄질을 시키는 말. ㉬죄암죄암.

짝짜꿍짝짜꿍: 짝짜꿍을 시키는 말.

알리는 소리

옛네: "여기 있네"가 줄어든 말. "하게" 할 사람에게 무엇을 주려고 할 때 쓰는 말.

옛다: "여기 있다"가 줄어든 말. "해라" 할 사람에게 무엇을 주려고 할 때 쓰는 말.

옛습니다: "여기 있습니다"가 줄어든 말. "합쇼" 할 사람에게 무엇을 주려고 할 때 쓰는 말.

어린이를 놀라게 하는 말 또는 물건

에비: 아이들에게 "무서운 것이다."라는 뜻으로 놀라게 하는 말. 또는 그런 가상적 물건. (예) 울면 에비가 업어 간다.

어린이를 달래는 감탄사

어부바: 어린아이에게 등에 업히라고 할 때에 하는 소리.

어린이를 어르는 감탄사

곤두곤두: 어린아이를 손바닥에 세우면서 어르는 말. ㉛따로따로 따따로.

아옹: 얼굴을 가리고 있다가 별안간 어린아이를 보며 어를 때 하는 말.

얼싸둥둥: 흥이 나서 아기를 어르는 소리.

욕 또는 상스러운 말

네미²: "네 어미"가 줄어든 말로 못마땅할 때 상스럽게 하는 말.

네장칠: "네 장난을 칠"의 뜻으로 욕으로 쓰는 말. ㉵녠장.

넨장맞을: "네 장난을 맞을" 뜻으로 욕으로 쓰는 말. ㉵녠장.

예기: 때릴 듯한 기세로 욕하려 할 때 내는 소리 (예) 예기, 이 자식. ㉞예
끼. ②에끼.

제미붙을: "제 어미를 붙을"이라는 뜻의 상스런 욕.

우는 감탄사

아이고: 상중에 죽은이의 아들, 딸, 손자 들이 우는 소리. ㉵애고. ㉝아유,
아이.

앙: 어린아이가 우는 소리.

애고애고: 부모상을 당한 상주나 조부모 상을 당한 종손의 곡하는 소리.

에구에구: 몹시 슬퍼 우는 소리.

웃음

아하하: 일부러 지어서 자지러지게 큰소리로 웃는 소리. 〈큰〉어허허.

어허허: 점잖게 너털웃음을 웃는 소리.

힝: 코웃음을 웃는 소리.

힝힝: 잇달아 코웃음을 웃는 소리.

외치는 소리

모어라수에: →무에리수에.

무에리수에(〔問一數): 돌파리 장님, 점쟁이가 자기에게 점을 치라고 거리
　　　로 다니면서 외치는 소리. ※〔: 어원의 변천을 보이는 부호.

뵈시위: "임금이 거동할 때 봉도에서 주의하여 모시라"고 외치는 소리.

옛단쇠: 엿장수가 엿을 사라고 외치는 소리.

이리위: 전날 신은을 불릴 때에 앞으로 나오라고 불리는 쪽의 하인들이
　　　외치는 소리.

원망할 때 말

제: 원망스럽거나 답답할 때 내는 소리.

제기랄: 원망스럽거나 불평스럽거나 할 때에 하는 소리. 〈준〉제길.

제길: "제기랄"의 준말.

응석을 받아들이는 소리

오냐오냐: 어린아이의 응석을 받아들일 때 하는 소리.

위로하는 소리

쉐쉐: 어린아이가 몸을 다쳐 아파할 때에 다친 자리를 만지며 위로하는
　　　소리.

의문

왜: 의문의 뜻을 나타낼 때에 내는 소리.
웬: "웬 것을"이 줄어든 말로 "어떻게 그렇게 될 수 있나" 하는 뜻을 나타내
　　는 말.

인사말

빠이빠이: 어린이들이 쓰는 "잘 가라", "잘 있어", "안녕"을 뜻하는 작별의
　　　　　인사.
안녕: 헤어질 때나 만날 때 인사를 정답게 하는 말.

전할 때 하는 말

옛소: "여기 있소"가 줄어든 말. "하오" 할 사람에게 무엇을 주려고 할
　　　때에 쓴다.

절실한 감정

어: 기쁘거나 슬프거나 칭찬하거나 뉘우치거나 귀찮거나 절실할 때에 내는
　　소리. 창아.

저주하는 말

난장맞을: 일이 뜻대로 되지 않거나 못마땅하여 불쾌한 느낌으로 저주하는
　　말.
난장질(亂杖-): 난장을 맞음.
앙: 남을 놀릴 때에 지르는 소리.
애³: 업신여기는 뜻을 나타내는 말. (예) 애. 그놈.

줄임말

거: "그것"의 뜻. (예) 거 참 좋다. 거 누구냐?

조롱

얼씨구: 보기에 눈꼴사나울 때에 조롱으로 하는 소리.
옹: 남을 놀리는 소리.

주의시키는 감탄사

어디: 남의 주의를 끄는 말.

이: 남이 위태한 지경에 있을 때에 급히 주의시키는 소리.

자: 어떤 일이나 행동을 하기 전에 남의 주의를 일으키려고 하는 말.

즐거움

에라: "에루하"의 준말로 노래할 때 즐거움을 나타내는 말. (예) 에루하
　　　좋구나.

좋다: 느낌말로 쓰이어 즐거움, 찬성, 결의를 나타낸다.
　　　(예) 좋구나 좋아.

지적

요런: ① 가까이 놀라운 일이 있을 때 하는 소리. 圓이런. ② 요러함이
　　　준말. 圓이런.

요렇지: ① "요"와 같이 틀림없다는 뜻으로 하는 말. 圓이렇지. ② "요러하
　　　지"의 준말. 圓이렇지.

찬미

오홉다[於--]: 글에 쓰이어 감탄하여 찬미할 때에 하는 말.

탄식하는 소리

맙소사: 기막힌 일을 당하거나 보거나 할 때 탄식하는 소리.

아뿔싸: 잘못된 일이나 언짢은 일을 알게 된 때에 뉘우쳐 탄식하는 소리.

㉠하뿔싸. ㉣어뿔싸.

어뿔싸: 잘못된 일이나 언짢은 일을 알게 된 때에 뉘우쳐서 탄식하는 소리.

어어: 생각과 다른 뜻밖의 일을 당한 때에 내는 소리. ㉤아아.

차호(差呼): 주로 글에서 슬퍼서 탄식할 때에 쓰는 말.

차홉다(嗟---): 주로 글에서 매우 슬퍼 탄식할 때에 쓰는 말.

체: 못마땅하여 아니꼬울 때나 불평스럽게 탄식할 때에 내는 소리. ㉣차.

틀림없음을 나타내는 감탄사

이렇지: "이와 같이" 틀림없다는 말뜻으로 하는 말. ㉤요렇지.

한탄·감탄

천지에(天地-): 뜻밖에 몹시 심한 일을 당할 때에 한탄하는 뜻으로 내는
    말. ㉥천제.

하하: 뜻하지 아니 하게 좀 놀라거나 한탄하거나 감탄할 때 내는 소리.
    ㉣허허.

허허: 뜻하지 아니 하게 놀라거나 슬프거나 감탄할 때에 내는 소리.

행동

얼싸둥둥: 남의 운에 딸리어서 멋모르고 행동하는 꼴.

행위의 재촉

자: 남에게 어떤 행동을 권하거나 재촉할 때에 하는 말.

혼잣말

자: 좀 안타깝거나 의아스러운 일을 당하였을 때에 혼잣소리로 하는 말.

환호하는 말

브라보(bravo): "잘 한다", "좋다", "신난다" 등의 뜻으로 지르는 소리.

흥겨움

어기야: "어기야디야"의 준말.

어기야디야: 뱃사람들이 노를 저을 때에 흥겨워 내는 소리. ㈜어기야. 어야디야. 에야디야.

어둥둥: "어허 둥둥"의 준말.

어리일씨: 흥겨워 떠들 때 장단에 맞추어 가볍게 내는 소리.

어야디야: "어기야디야"의 준말.

어허랑(御許郞): 과거에 급제한 사람이 유흥가에 놀러 갈 때에 장부가 앞에서 춤추며 부르던 소리.

얼씨구: 흥에 겨워서 떠들 때에 작은 장단으로 내는 소리.

얼씨구나: 흥에 겨워서 떠들 때에 아주 좋다고 지르는 소리.

얼씨구나절씨구나: 흥겨워서 떠들 때에 아주 좋다고 지르는 소리.

얼씨구절씨구: 흥에 겨워서 장단으로 잇달아 떠드는 소리.

힘든 동작시 내는 말

치: 절구질, 도끼질 따위와 같이 힘든 동작을 연거푸 할 때에 내는 소리.

힘을 합칠 때

어기여차: 힘을 합할 때에 일제히 내는 소리.
어여라: =어기여차.
어허라달구야: 땅을 다질 때에 여럿이 동작을 맞추거나 힘을 모으려고
　　　노래하듯 부르는 소리.
어허야어허: 땅을 다질 때 동작이나 힘을 맞추려고 지르는 소리.
에여라차: "어기여차"를 받는 소리.
영치기영차: 힘든 일을 하거나 운동 경기를 응원하는 따위에 여러 사람이
　　　막판에 몰아치면서 잇달아 내는 소리.
이영차: 여러 사람이 힘을 한목 모아서 쓸 때 지르는 소리. ㉰여차. 영차.
　　　㉫이어차.

힘줌

그래: 말을 마치면서 강조하는 뜻으로 덧붙이는 말.
글쎄다: "글쎄"의 힘줌말.
어디: 벼르거나 다짐하는 뜻을 강조하는 말.
어뜨무려차: 어린아이가 무거운 물건을 들어 올릴 때에 하는 소리.

어어: 떼를 지어 싸울 때에 기운을 내거나 돋우는 소리. ㉥아아.

무어: 반의적인 뜻을 강조하려고 쓰는 말. ㉗뭐.